table

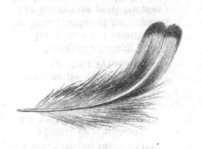

Collection folio junior

dirigée par
Jean-Olivier Héron
et Pierre Marchand

Henri Bosco est né en 1888 à Avignon, d'une famille provençale et piémontaise.

Son père était tailleur de pierre et luthier.

Après des études à Avignon, Grenoble et Florence, agrégé d'italien, il enseigne à Avignon, Bourg et Philippeville.

Henri Bosco avait commencé à écrire dès l'âge de sept ans. Son premier roman, *Pierre Lampédouze,* sera publié en 1924. On y trouve déjà toute l'atmosphère qui sera celle de ses romans et de ses poésies : mystère mêlé à la réalité quotidienne, monde paysan avec ses croyances ancestrales, magie de la Provence...

De nombreux prix littéraires vont couronner son œuvre (une trentaine de romans, des livres pour les enfants, des poésies) : le Prix Renaudot en 1945, le Prix des Ambassadeurs en 1949, le Grand Prix national des Lettres en 1953, le Grand Prix de la Littérature pour les jeunes en 1959, et le Grand Prix de Littérature de l'Académie française en 1968.

Henri Bosco est mort en 1975.

Pour dessiner l'univers de Pascalet, **Georges Lemoine** a suivi les pas d'Henri Bosco à Lourmarin, village où il vivait, dans le Luberon. Là, il s'est promené, a rêvé, a pris des croquis des plantes, des animaux et des maisons de cette belle région.

Mais vous connaissez déjà Georges Lemoine, pour les dessins qu'il publie régulièrement dans les journaux et magazines, et pour les livres de la collection Foiio Junior qu'il a déjà illustrés : *La maison qui s'envole* de Claude Roy, *Vendredi ou la vie sauvage* de Michel Tournier, *Le voleur de chapeaux* de Jean-François Ménard, etc.

Pour mes amis
de Ste Croix à Lozes,
Martine et Jean Louis
grâce à qui j'ai découvert
le Lubéron
avec les yeux de l'oiseau

Pour

Françoise

Dominique

Danièle Chabasse

ISBN 2-07-033455-4

© Éditions Gallimard, 1953, pour le texte
© Éditions Gallimard, 1979, pour les illustrations
© Éditions Gallimard, 1987, pour la présente édition
Dépôt légal : Juillet 1988
1er dépôt légal dans la même collection : Novembre 1987
N° d'éditeur : 43950 — N° d'imprimeur : 45780
Imprimé en France sur les presses de l'Imprimerie Hérissey

Henri Bosco

L'enfant
et la rivière

Illustrations de Georges Lemoine

Gallimard

Tentation

Quand j'étais tout enfant, nous habitions à la campagne. La maison qui nous abritait n'était qu'une petite métairie isolée au milieu des champs. Là nous vivions en paix. Mes parents gardaient avec eux une grand-tante paternelle, Tante Martine.

C'était une femme à l'antique avec la coiffe de piqué, la robe à plis et les ciseaux d'argent pendus à la ceinture. Elle régentait tout le monde : les gens, le chien, les canards et les poules. Quant à moi, j'étais gourmandé du matin au soir. Je suis doux cependant et bien facile à conduire. N'importe ! Elle grondait. C'est que, m'adorant en secret, elle croyait cacher ainsi ce sentiment d'adoration qui jaillissait, à la moindre occasion, de toute sa personne.

la montagne du Lubéron

vol de palombes

La Métairie

un champ de lavande

Autour de nous, on ne voyait que champs, longues haies de cyprès, petites cultures et deux ou trois métairies solitaires.

Ce paysage monotone m'attristait.

Mais au-delà coulait une rivière.

On en parlait souvent, à la veillée, surtout l'hiver, mais je ne l'avais jamais vue. Elle jouait un grand rôle dans la famille, à cause du bien et du mal qu'elle faisait à nos cultures. Tantôt elle fertilisait la terre, tantôt elle la pourrissait. Car c'était, paraît-il, une grande et puissante rivière. En automne, au moment des pluies, ses eaux montaient. On les entendait qui grondaient au loin. Parfois elles passaient par-dessus les digues de terre et inondaient nos champs. Puis, elles repartaient, en laissant de la vase.

Au printemps, quand les neiges fondent dans les Alpes, d'autres eaux apparaissaient. Les digues craquaient sous leur poids et de nouveau les prairies à perte de vue ne formaient qu'un seul étang. Mais, en été, sous la chaleur torride, la rivière s'évaporait. Alors des îlots de cailloux et de sable coupaient le courant et fumaient au soleil.

Du moins on le disait. Je ne le savais que par ouï-dire.

Mon père m'avait averti :

— Amuse-toi, va où tu veux. Ce n'est pas la

place qui te manque. Mais je te défends de courir du côté de la rivière.

Et ma mère avait ajouté :

— A la rivière, mon enfant, il y a des trous morts où l'on se noie, des serpents parmi les roseaux et des Bohémiens sur les rives.

Il n'en fallait pas plus pour me faire rêver de la rivière, nuit et jour. Quand j'y pensais, la peur me soufflait dans le dos, mais j'avais un désir violent de la connaître.

De temps à autre un braconnier passait chez nous. Un grand, sec, la figure en lame de couteau. Et avec ça, l'œil vif, rusé. Tout en lui décelait la souplesse et la force : les bras noueux, le pied corné, les doigts agiles. Il apparaissait comme une ombre, sans bruit.

— Tiens, voilà Bargabot, disait mon père. Il nous apporte du poisson.

En effet.

Bargabot déposait un panier de poissons étincelants sur la table de la cuisine. Ils m'émerveillaient. Dans l'algue luisaient des ventres d'argent, des dos bleuâtres et des nageoires épineuses.

C'étaient des bêtes d'eau toutes fraîches encore de la rivière.

— Bargabot, comment faites-vous pour prendre de si belles pièces ?

les bras morts

l'île des Bohémiens

au loin la Métairie

le rocher

c'était paraît-il
une grande et puissante
rivière

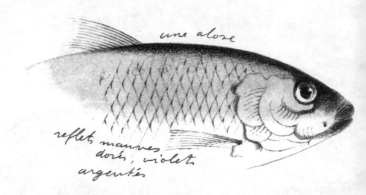

une alose

reflets mauves dorés, violet argentés

Bargabot d'un air évasif répondait à mon père :

— Le Bon Dieu a pitié du pauvre, monsieur Boucarut, et puis j'ai la main.

Et on n'en tirait jamais davantage.

Un jour que j'étais seul à la maison, Bargabot apparut, comme toujours, à l'improviste. Il portait au bout d'un crochet une alose énorme.

Il me dit :

— C'est pour toi, tiens, je te la donne.

Il posa le poisson sur le coin de la table. Puis il me regarda d'un air étrange :

— Petit, petit, murmura-t-il, tu as une bonne frimousse, une frimousse de pêcheur. As-tu jamais pris du poisson ?

— Non, monsieur Bargabot, on me défend d'aller à la rivière.

Il haussa les épaules.

— Tant pis ! mais si je t'avais avec moi, je t'en ferais connaître des bons coins où personne ne va, surtout dans les îles...

A partir de ce jour, je ne dormis plus.

Souvent, la nuit, je pensais à ces coins merveilleux, enfouis au milieu des bois, sur le bord de ces îles, où personne, sauf Bargabot, n'allait jamais.

D'autres fois, Bargabot me montrait de beaux hameçons en acier bleu, ou bien de petits bouchons de liège joliment taillés.

Bargabot était mon grand homme : je l'admirais. Pourtant ses yeux gris et rusés m'inspiraient de la crainte ; et, à cause de cette crainte, mon amitié restait cachée au fond de moi.

Quand il était là j'avais un peu peur ; quand il n'y était plus, je le regrettais. Si dans la cour j'entendais glisser ses espadrilles, mon cœur se mettait à battre. Bien vite, il s'était aperçu de l'intérêt que je portais à sa personne. Mais par feinte il prenait des airs indifférents qui me mettaient au supplice. Parfois on ne le voyait pas de quinze jours. Je ne tenais plus en place. Une envie folle me prenait de m'enfuir jusqu'à la rivière. Mais je craignais mon père. Il ne badinait pas.

L'hiver, passe encore : il fait froid, le vent hurle, la neige tombe, courir la campagne est folie. On se sent bien devant le feu, et on s'y tient. Mais au printemps le vent est doux, le temps léger. On a besoin d'air et de mouvement. Ce besoin me prenait comme il prend tout le monde. Et c'était un désir si vif de m'échapper que j'en tremblais de peur.

Je risquais toujours d'y céder, un beau matin, et de partir à l'aventure. Il n'y manquait que l'occasion.

Elle se présenta. Et voici comment.

Mes parents durent s'absenter pendant quelques jours. En leur absence, ce fut, comme de juste, Tante Martine qui régna sur la maison. Tante Martine était despotique, je l'ai dit ; mais dès qu'elle restait seule avec moi, toutes les libertés m'étaient permises. Car elle-même voulait être libre ; et l'eût-elle pu en me surveillant du matin au soir ? Celui qui tyrannise son prochain se tyrannise aussi lui-même. Tante Martine le savait. Elle me laissait donc la bride sur le cou pour pouvoir trotter à son aise.

Car elle trottait. Elle trottait du haut en bas de la maison. Elle trottait le jour ; elle trottait la nuit ; elle trottait à l'aube ; elle trottait au crépuscule. Et toujours d'un trottinement à peine perceptible, un pas de souris. Quand mes parents étaient à la maison, elle se tenait à peu près tranquille ; mais à peine étaient-ils partis qu'elle se mettait à trotter. On ne la voyait plus ; mais on l'entendait fureter de chambre en chambre. Tantôt elle s'enfonçait dans les ténèbres de la cave ; tantôt elle disparaissait dans le cellier.

A quels travaux s'y livrait-elle ? Dieu le sait ! On percevait des bruits mystérieux ; le bois remuait, une caisse dégringolait avec fracas... Et puis le silence... Mais à tous les séjours que lui offrait notre vieille demeure, Tante Martine préférait les combles. Elle s'y élevait tous les après-midi et y séjournait bien souvent jusqu'à l'arrivée des premières ombres. C'était son refuge de prédilection, son paradis. Là s'alignaient d'antiques malles cloutées de cuivre et revêtues de poils de chèvre. Des malles centenaires. Elles étaient bourrées de vieux habits : jaquettes à fleurs, gilets de satin, dentelles jaunies, broderies, escarpins à boucles d'argent, bottes vernies. Et quelles robes ! Toutes soies roses, côtes lamées, paillettes d'or, rubans puce, feu, pourpres ! Couleurs fanées, sans doute, et qui sentaient le vieux, mais de quel charme ! Car tout cela fleurait encore la lavande et la pomme reinette. J'en raffolais. Et ce n'étaient pas les seules merveilles ! De vénérables portraits de famille pendaient à un clou. Dans un coin s'empilait de la vaisselle peinte. Deux

19

chandeliers d'argent reposaient sur un coffre d'ébène. Des livres reliés de cuir gisaient sur le plancher parmi un monceau de papiers jaunis, où nichaient les rats... Enfin, au plafond était suspendu, par la queue et la tête, un vieux crocodile empaillé, don d'un oncle navigateur, l'oncle Hannibal.

Quand Tante Martine montait dans les combles, rien au monde, je crois, n'eût pu l'en tirer. Elle s'y enfermait à double tour, et je n'avais pas le droit de l'y suivre.

— Va t'amuser dans le jardin, me disait-elle. Il faut que je range les fripes.

Je comprenais. Seul, désœuvré, j'errais un peu dans la maison, et puis j'allais m'asseoir sous le figuier du puits.

C'est là qu'un beau matin d'avril la tentation vint me trouver à l'improviste. Elle sut me parler. C'était une tentation de printemps, une des plus douces qui soient, je pense, pour qui est sensible au ciel pur, aux feuilles tendres et aux fleurs fraîchement écloses.

C'est pourquoi j'y cédai.

Je partis à travers les champs. Ah ! le cœur me battait ! Le printemps rayonnait dans toute sa splendeur. Et quand je poussai le portail donnant sur la prairie, mille parfums d'herbes, d'arbres, d'écorce fraîche me sau-

" tuiles romaines "
de la couleur des abricots
dorés par le soleil

au loin les montagnes
du Lubéron

le puits   le figuier

la feuille
du figuier
(séchée, garde
toujours son doux
et merveilleux parfum)

la "génoise", décorative et utile

le pigeonnier

les murs de
"pierres sèches"
(c'est à dire :
assemblées
sans mortier
de sable et
de chaux)

Pattes au lait

La Métairie
(cuisine et chambre de
tante Martine)

tèrent au visage. Je courus sans me retourner jusqu'à un boqueteau. Des abeilles y dansaient. Tout l'air, où flottaient les pollens, vibrait du frémissement de leurs ailes. Plus loin un verger d'amandiers n'était qu'une neige de fleurs où roucoulaient les premières palombes de l'année nouvelle. J'étais enivré.

Les petits chemins m'attiraient sournoisement. « Viens ! que t'importent quelques pas de plus ? Le premier tournant n'est pas loin. Tu t'arrêteras devant l'aubépine. » Ces appels me faisaient perdre la tête. Une fois lancé sur ces sentes qui serpentent entre deux haies chargées d'oiseaux et de baies bleues, pouvais-je m'arrêter ?

Plus j'allais et plus j'étais pris par la puissance du chemin. A mesure que j'avançais, il devenait sauvage.

Les cultures disparaissaient, le terrain se faisait plus gras, et çà et là poussaient de longues herbes grises ou de petits saules. L'air, par bouffées, sentait la vase humide.

Tout à coup devant moi se leva une digue. C'était un haut remblai de terre couronné de peupliers. Je le gravis et je découvris la rivière.

Elle était large et coulait vers l'ouest. Gonflées par la fonte des neiges, ses eaux puissantes descendaient en entraînant des arbres. Elles étaient lourdes et grises et parfois sans raison de grands tourbillons s'y formaient qui engloutissaient une épave, arrachée en amont. Quand elles rencontraient un obstacle à leur course, elles grondaient. Sur cinq cents mètres de largeur, leur masse énorme, d'un seul bloc, s'avançait vers la rive. Au milieu, un courant plus sauvage glissait, visible à une crête sombre qui tranchait le limon des eaux. Et il me parut si terrible que je frissonnai.

En aval, divisant le flot, s'élevait une île. Des berges abruptes couvertes de saulaies épaisses en rendaient l'approche difficile. C'était une île vaste où poussaient en abondance des bouleaux et des peupliers. A sa pointe venaient s'échouer les troncs d'arbres que la rivière charriait.

Quand je ramenai mes regards vers le rivage, je m'aperçus que, juste à mes pieds, sous la digue, une petite anse abritait une plage de sable fin. Là les eaux s'apaisaient. C'était un point mort. J'y descendis. Des troènes, des osiers géants et des aulnes glauques formaient une voûte au-dessus de ce refuge.

Dans la pénombre mille insectes bourdonnaient.

Sur le sable on voyait des traces de pieds nus. Elles s'en allaient de l'eau vers la digue.

palombe
(pigeon ramier)

petite pâquerette

Les empreintes étaient larges, puissantes.
Elles avaient une allure animale. J'eus peur.
Le lieu était solitaire, sauvage. On entendait
gronder les eaux. Qui hantait cette anse
cachée, cette plage secrète ?

En face, l'île restait silencieuse. Son aspect
cependant me parut menaçant. Je me sentais
seul, faible, exposé. Mais je ne pouvais pas
partir. Une force mystérieuse me retenait dans
cette solitude. Je cherchai un buisson où me
dissimuler. Ne m'épiait-on pas ? Je me glissai
sous un fourré épineux, à l'abri. Le sol doux y
était couvert d'une mousse souple et moel-
leuse. Là, invisible, j'attendis, tout en surveillant l'île.

D'abord je ne vis rien. Sur moi s'étendait
l'ombre des feuillages ; les insectes dansaient

amandier

feuille de l'aune

toujours ; parfois s'envolait un oiseau ; l'eau coulait, ralentie par la sinuosité de la plage ; le temps passait, monotone, et l'air devenait tiède. Je m'assoupis.

Longtemps je dus rester dans le sommeil.

Comment fus-je éveillé ? Je ne sais. Quand j'ouvris les yeux, étonné de me retrouver sous ce buisson, le soleil était bas, et l'après-midi touchait à sa fin. Rien ne semblait changé autour de moi. Et cependant je restais immobile, au fond de ma cachette, dans l'attente de quelque événement.

Tout à coup, au milieu de l'île, entre le feuillage des arbres, s'éleva un fil de fumée, pur, bleu. L'île était habitée. Mon cœur battit. J'observai avec attention le rivage opposé, mais vainement. Personne n'apparut. Au bout

mâle

le tarin des aunes

femelle

feuille de l'osier

d'un moment la fumée diminua ; elle semblait se retirer peu à peu dans les bouquets d'arbres, comme si la terre invisible l'eût absorbée. Il n'en resta rien.

Le soir tombait. Je sortis de ma retraite et revins à la plage.

Ce que je découvris m'épouvanta. A côté des premières traces que j'avais relevées sur le sable, d'autres, encore fraîches, marquaient le sol. Ainsi pendant que je dormais quelqu'un était passé près de mon refuge. M'avait-on vu ?

La nuit arrivait maintenant derrière les roseaux. Un oiseau s'envola brusquement du milieu des joncs. Il poussa un cri, et, de l'île, lui répondit un douloureux gémissement.

Je m'enfuis.

Je n'arrivai à la maison qu'à la nuit close.

Je laisse à penser de quelle façon me reçut Tante Martine.

— Vagabond ! Pied-noir ! Gratte-chemin !

Elle me renifla :

— Tu sens la vase.

— Ah ! tu as de jolis cheveux !

Ils étaient barbelés de feuilles et d'épines.

— Va te peigner !

J'y allai, penaud, sans répondre. Je connaissais Tante Martine. Des colères, des cris. Mais cela n'allait pas plus loin.

— Tu n'as pas honte ?

Naturellement j'avais honte, mais qui a honte se tient coi, et je me tus.

— Si je disais tout à ton père, hé ! Pascalet (Pascalet est mon nom), tu vois d'ici ce qu'il ferait, ton père !...

Je le voyais parfaitement, mais je voyais aussi Tante Martine : et tout en elle me disait : « Chenapan ! tu as de la chance que Tante Martine soit faible pour ce petit gredin de Pascalet ! Après tout, dans son temps, ton père en a fait bien d'autres !... »

Sous son air menaçant, Tante Martine s'attendrissait.

— Et tu as faim sans doute ?...

J'avais faim et je l'avouai.

— Parbleu ! grommelait-elle, en préparant

sa poêle à frire. Depuis sept heures du matin !... Malheureux ! je parie que la tête te tourne...

Je mentis :

— Oui, Tante Martine, cette fois la tête me tourne, mais pas trop vite.

— Et moi, qui n'ai qu'un peu de soupe à te donner... Et deux tomates... Et de la saucisse...

On entendit un pas. Bargabot entra dans la cuisine.

Jamais il ne m'avait paru si grand. Il avait son air sauvage. Tante Martine de saisissement faillit laisser tomber sa poêle. Mais lui ne s'en aperçut pas.

Il dit :

— Je vous apporte des gardons. Faites-les cuire. Vous ne me refuserez pas un verre de vin.

Et il s'attabla.

Tante Martine prit le panier de poissons.

On l'entendit qui raclait les écailles. Dans la poêle, l'huile fuma. Nous invitâmes Bargabot. Tante Martine apporta la cruche de vin, le pain bis, du vinaigre.

Bargabot tira de sa poche un long couteau. Il se tailla une énorme miche de pain, y plaça deux poissons et traça une croix avec sa lame au-dessus de la nourriture. Puis il mangea.

le gardon

Nous le regardions. Il ne disait mot. De son corps s'exhalait l'odeur du fleuve.

Nous ne pensions pas à manger. Il s'en aperçut. Nos yeux se rencontrèrent :

— Il faut manger, fiston, murmura-t-il. J'ai pêché ce poisson pour vous. Il vient de la rivière... tu sais bien, la rivière ?... Avec son île et ses buissons, où l'on peut se cacher ?...

Je pâlis. Tante Martine m'observait. Mais Bargabot prit dans le plat le poisson le plus beau, et il le mit dans mon assiette. Avec une délicatesse inattendue, il l'ouvrit, détacha les arêtes, versa deux gouttes d'huile sur la chair et un fil de vinaigre.

— Il n'y manque plus rien, dit-il. Tu peux y mordre.

Tante Martine boudait un peu. Le repas s'acheva dans le silence.

Quand les plats furent enlevés, Bargabot, toujours taciturne, se mit à tracer sur la table, avec la pointe de son long couteau, des figures bizarres. C'étaient des poissons inconnus, les uns tout hérissés d'épines, d'autres tout en têtes, énormes, ouvrant leurs gueules goulues dans le vide. Il y avait aussi des serpents fantastiques et des tortues d'eau.

Tante Martine et moi nous nous taisions, fascinés par ces bêtes singulières. Soudain Bargabot grommela :

— Ça sent l'orage.

Peu après il tonna au loin.

Bargabot se leva, et dit :

— Bonne soirée ! Mais je n'ai pas de temps à perdre.

Et il disparut.

Il tonna toute la nuit. Le tonnerre gronda vraiment, sans se ménager. Il couvrait de ses roulements sombres toute la campagne. Les éclairs s'ouvraient et se fermaient comme des ciseaux de feu. La foudre tomba sur un pin qui craqua et s'abattit. La maison tremblait. Le sous-sol en ses profondeurs répercutait les grondements. Enfoui sous mes couvertures, je pensais à la rivière. Sous la flamme bleue des éclairs elle devait luire sinistrement.

La pluie vint dans le vent, en biais, et fouetta la maison qui se mit à gémir du haut en bas, sous la fureur de l'averse. L'orage dura jusqu'au matin. Alors, il s'éloigna en grommelant. Le soleil perça un nuage et d'un grand revers de lumière il illumina l'étendue des champs.

Il fallut trois grands jours de chaleur pour sécher le sol.

Pendant ces trois journées je ne bougeai pas.

Tante Martine se remit à trottiner. Prise par sa passion, elle avait oublié mon escapade.

L'île

Je repartis, un mardi matin. Le jour pointait à peine. Tante Martine dormait encore dans sa chambre. Elle avait fureté jusqu'à minuit. Je profitai de son sommeil pour bourrer de provisions un petit sac : figues, noix, quignon de pain. Une heure après, j'étais au bord de la rivière.

Quelle splendeur ! L'onde était devenue limpide et le bleu d'un ciel vif, lavé, où le vent poussait en riant deux petits nuages, se reflétait sur ces eaux claires qui d'un grand mouvement fuyaient vers un horizon de collines. Le terrible courant central, crêté de noir, ne troublait plus ce miroir lisse. La rivière riait entre ses rives colorées de rose par le jour qui se levait. Un martin-pêcheur voletait le long de l'île, et la brise du matin bruissait dans les roseaux.

... les eaux claires qui d'un
grand mouvement
fuyaient vers un horizon de collin

le martin-pêcheur

Je remontai la rive vers une cabane. Quatre pilotis la portaient sur l'eau. Une passerelle y donnait accès.

Dedans, sur un hamac, il y avait une paillasse d'algues sèches. Un vieux filet pendait au plafond. Dans un coin, quelques ustensiles de cuisine.

« Ici, pensai-je, vient dormir Bargabot quand il braconne. »

Sous la baraque on voyait une petite plage. Amarrée à un pilotis y flottait une barque.

Elle était vieille et un peu vermoulue. A travers les ais mal joints l'eau filtrait sournoisement. Plus de peinture sur la coque. Depuis longtemps le soleil et la pluie l'avaient écaillée. On avait enlevé les rames. Une corde de chanvre effilochée retenait l'embarcation, et l'eau était si calme que la corde molle trempait dans la rivière.

Cette tranquillité, cette quiétude me tentèrent aussitôt. Je descendis jusqu'à la barque, et, après une brève hésitation, je posai mon pied sur le bord ; il fléchit sous mon poids. Ce fléchissement me troubla beaucoup. Mais la barque reprit son équilibre. Je m'assis, avec précaution, au milieu, sur le banc, et ne bougeai plus. L'embarcation, l'eau et la rive paraissaient immobiles, et, malgré la sourde émotion qui me serrait le cœur, j'étais heureux.

Car, tournant le dos au rivage, je ne voyais plus devant moi que la rivière. Elle glissait. Plus loin, en aval, l'île, prise dans les premiers rayons du jour, commençait à sortir des brumes matinales. Peupliers, ormes et bouleaux formaient une masse confuse d'où peu à peu se détachaient de grands pans de feuillages qui prenaient la lumière. A la pointe, un roc bleu émergeait au-dessus de l'eau, qu'il brisait avec violence. Et l'eau bouillonnait de colère. Mais la rive de l'île était si rose et, sous une légère brise, il en venait de tels parfums d'arbres, de plantes et de fleurs sauvages, que j'étais saisi d'émerveillement. De nouveau, comme l'autre soir, entre les arbres monta la fumée.

« C'est Bargabot qui fait du feu, pensai-je, il a dû pêcher cette nuit »... Que n'étais-je dans l'île ? J'en rêvais...

La barque restait immobile. Pas un courant visible n'atteignait ce petit havre où je me sentais à l'abri. Je pouvais m'y abandonner à la contemplation des eaux glissantes et silencieuses dont le mouvement me fascinait...

Je perdis la notion du temps, du lieu et de moi-même, et je ne savais plus qui s'en allait, de ma barque ou de la rivière. Fuyait-elle, ou était-ce moi qui merveilleusement, sans rames, la remontais ? Dieu sait comment je m'étais détaché du rivage, et déjà je voyais s'éloigner les quatre pilotis de la cabane... Ils s'éloignaient... S'éloignaient-ils ?...

Brusquement je revins à moi. Où étais-je ? Entre la barque et la cabane, la corde était tombée. Pris dans un courant invisible je partais à la dérive. J'essayai de saisir, au passage, une branche ; mais elle m'échappa. Sans secousse, insensiblement, je m'éloignais du bord. Le froid de la peur me glaçait. Car l'eau, d'abord paisible, entrait dans le courant à mesure que j'avançais, et je voyais, sur moi, venir l'immense nappe de la rivière avec rapidité.

Elle était tout entière en marche, et sa masse profonde m'entraînait vers ce récif dressé à la pointe de l'île où les flots se brisaient en bouillonnant.

Leur violence augmentait. Ils emportaient de plus en plus rapidement la vieille barque. Elle craquait. L'eau montait par les fissures. De vastes tourbillons me prenaient par le travers et la barque tournait sur elle-même. Quand elle offrait le flanc au choc de l'eau, elle roulait dangereusement. J'allais droit au récif. Il s'avançait vers moi, terrible. Je fermai les yeux. L'eau gronda, puis la barque saisie dans un remous vira avec lenteur. Un raclement ébranla la coque. Elle s'immobilisa sur un lit de gravier. J'ouvris les yeux. J'étais sauvé. Nous venions d'échouer sur une grève en pente douce, à la pointe de l'île. Le récif, évité, écumait toujours, mais plus loin.

D'un bond je fus à terre.

Et alors je pleurai.

Lorsque j'eus pleuré tout mon saoul, je compris seulement quelle était ma situation. Deux cents mètres d'eau profonde me séparaient de mon rivage, le rivage des terres habitées. Là fument les bonnes maisons maternelles. A deux kilomètres plus loin, sous un bouquet de pins et de platanes, la mienne, dans ce bleu matin, devait mettre son fil de fumée sur le ciel. Il était neuf heures. Déjà Tante Martine avait allumé son feu de bois. Et elle me cherchait. J'eus un mouvement de désespoir. Comment sortir de l'île ? Qui appeler ?

le platane
et sa
feuille

Je m'assis sur une racine, et essayai de réfléchir. Hélas ! mes réflexions n'allaient pas loin. Toutes me disaient : « Pascalet, tu es perdu. » Mais cela m'importait peu. Une seule question me tourmentait : « Que va penser Tante Martine ? Il n'est encore que neuf heures, et déjà elle a de la peine. Que sera sa peine à minuit ? Car à minuit tu seras toujours là, Pascalet, mon ami. Et l'eau, devenue toute noire, coulera sinistrement. »

Tristes, tristes, mes pensées...

C'est alors que la brise douce rabattit vers moi une odeur aigrelette de bois brûlé. Le souvenir de ce foyer, dont j'avais, par deux fois, remarqué la fumée entre les arbres, me revint à l'esprit. « Il faut voir ça », me dis-je. Et je me faufilai sous les buissons. J'arrivai à l'orée d'une clairière.

Au milieu de cette clairière se dressait une hutte. Largement arrondie, elle montait en pain de sucre. Un sac pendait devant la porte.

Sur la terre battue, on avait disposé trois pierres. Là, brûlait un peu de feu. La fumée qui s'en élevait léchait une grosse marmite, toute noire, sorte de créature étrange, avec deux petites oreilles et une panse rebondie.

Une fillette accroupie devant le foyer attisait le feu avec un bâton. Un chat noir sommeillait devant la hutte. Quelques poules picoraient.

Qui étaient les gens assez misérables pour habiter dans cette cabane de branches ?

La petite fille était en haillons. Des yeux noirs, une peau bistrée. Quelle étrange créature !

Elle portait de gros anneaux de cuivre aux oreilles. Parfois elle chantonnait à voix basse. Un âne errait nonchalamment dans la clairière. Au-delà de la hutte, sous un arbre on entrevoyait vaguement une énorme masse brune. Cette masse m'inquiéta. Je ne pus l'identifier, car elle se trouvait trop loin de moi ; elle demeurait immobile. Etait-ce un animal ?

De la marmite s'échappaient des volutes de vapeur. Elles sentaient bon. Une corneille vint du bois et se posa sur l'épaule nue de la fillette. La fillette lui parla. Stupéfait, je me soulevai pour mieux la voir. La fillette tourna la tête et regarda de mon côté. Mais elle resta impassible. M'avait-elle aperçu ?

Une vieille femme sortit de la cabane. Elle était maigre et farouche. Saisissant un coq par le cou, elle l'égorgea sur le feu, en poussant des glapissements sauvages.

La masse brune se souleva, grogna, se mit sur quatre grosses pattes et l'ours — car c'était là un ours — s'approcha du feu en se dandi-

la petite fille était en haillons.
Des yeux noirs, une peau
bistrée

Une corneille
vint
du bois

nant. Arrivé près de la marmite, il huma l'air, le museau levé dans ma direction. Je m'enfuis.

Je courus d'une traite à la pointe de l'île, et j'y cherchai une bonne cachette. A peine y étais-je installé que l'eau clapota. Je regardai craintivement. Une barque venait de la rive vers l'île. Quatre hommes la montaient. Quatre grands diables, secs et noirs, plus noirs, plus secs que Bargabot. Des Bohémiens ! Cette fois, j'étais bien perdu, vraiment perdu !...

Ils accostèrent, puis poussèrent leur embarcation, à l'abri d'une touque, pour la cacher. Ils en tirèrent un enfant. C'était un garçon de mon âge. On l'avait ligoté. Un des hommes le souleva et le chargea sur ses épaules. Je vis bien son visage. Il était basané comme ceux de ses ravisseurs, et tout aussi sauvage. Mais rien n'y trahissait l'effroi. Les yeux clos, la bouche serrée, l'enfant semblait de pierre. On l'emporta. Les quatre hommes disparurent sous les arbres.

J'étais seul.

Il était midi. Je sentis la faim. Mais je n'osai pas toucher à mes provisions. Le moindre mouvement me semblait dangereux : un geste maladroit, une branche cassée, tout pouvait me trahir. Je serais découvert, saisi, ligoté !

Pendant tout l'après-midi je n'osai sortir de ma cachette : une petite excavation, creusée dans le roc, et dissimulée par deux canneberges. J'attendais un miracle : sur la rive, quelqu'un allait surgir, un pêcheur, probablement...

Mais personne ne se montra. Et le soir vint.

J'en fus étonné, car jamais jusqu'alors je ne l'avais vu. Du moins tel que je le voyais, sombre et tout bleu, à l'Orient, avec de grands arbres d'étoiles. Son immensité m'emplit de stupeur.

A mesure que la clarté du jour diminuait, le ciel, approfondi par l'ombre, s'enfonçait d'abîme en abîme et de grandes figures célestes mystérieusement apparaissaient. C'étaient des astres inconnus. Plus tard j'ai su leurs noms : la Grande Ourse, Bételgeuse, Orion, Aldébaran. Pour lors, les ignorant, je me contentais d'admirer leur étincellement nocturne. Ils brûlaient très loin en silence. Leurs feux se reflétaient, en tremblant, dans la rivière, maintenant luisante et noire. Car la nuit était descendue et l'eau, devenue plus rapide, courait vers l'île avec une telle puissance que j'avais peur. En vain, blotti dans mon abri, essayais-je, fermant les yeux, de l'oublier. Le murmure confus de ses eaux m'arrivait encore et troublait mon âme. Je me

46

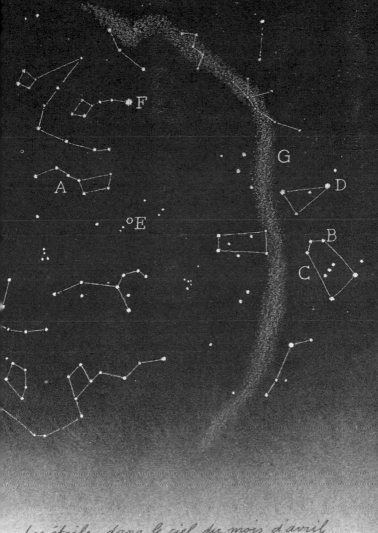

Les étoiles dans le ciel du mois d'avril

A. Constellation de la grande Ourse
B. l'étoile Bételgeuse
C. Grande nébuleuse d'Orion
D. l'étoile Aldébaran
E. Zénith
F. Étoile polaire   G. Voie lactée

sentais petit, frêle, réduit à ce peu de moi qui tremblait dans un trou de bête.

De mon pied, j'aurais pu toucher l'eau froide qui glissait par vastes nappes si rapidement sous mon refuge. Voisinage perfide et redoutable qui bientôt m'angoissa. Je ne pus le supporter. En rampant hors de ma cachette, je gravis le talus du rivage. Que n'eussé-je donné pour entendre une voix humaine, pour voir une figure d'homme !... Mais quels hommes appeler à mon secours ? Ceux de l'île, sans aucun doute, enlevaient les enfants. Et quelle cruauté !... C'étaient des hommes, cependant... Ils possédaient une cabane ; une pauvre cabane, certes, mais qui abritait leur sommeil, humainement. Et ils faisaient du feu. De ce feu, les lueurs éclairaient par bouffées rouges le feuillage des arbres, non loin de mon refuge. Là brûlait un foyer ; un vrai foyer, avec ses braises et sa cendre chaude, sa marmite, sa nourriture, et sa rassurante clarté...

Plus je pensais à ce foyer, plus me prenait la tentation de me glisser jusqu'à la hutte, pour voir, dans cette nuit où je me sentais seul, au moins le feu de l'homme. Aussi, est-ce furtivement que je me faufilai dans le sous-bois. Sans briser une brindille, je réussis, à pas de loup, par miracle, à retrouver la fameuse

la feuille de houx

clairière. Et là, tapi sous un houx épineux, je regardai.

Accroupie devant le feu, se tenait la vieille sorcière. La fillette tisonnait.

La vieille, une louche à la main, remuait lentement dans le chaudron je ne sais quelle infernale nourriture. Le chien, assis sur son derrière, regardait fixement la vieille et humait les vapeurs. Il avait les oreilles pointues. L'ours errait librement dans la clairière. Comme le vent venait du campement vers moi, les bêtes ne pouvaient déceler mon odeur.

Trois hommes, assis sur le sol, mangeaient, non loin du feu.

Le quatrième était debout. Il tenait un fouet.

A un poteau, par les pieds, par les bras, on avait attaché l'enfant.

L'homme venait de le fouetter. La lanière du fouet avait marqué son dos, nu jusqu'à la ceinture. On voyait sur ce dos de bronze trois longues raies noires de sang, quand la flamme s'élevait.

L'homme adressa des paroles violentes à l'enfant. Je ne les compris pas. Il parlait une langue bizarre.

L'enfant, loin de trembler, répondit à son bourreau avec une telle colère que l'autre, derechef, le fustigea.

La lanière sifflante cingla la peau. L'enfant se tut.

C'était un bel enfant, robuste, plus grand que moi, plus fort aussi, un petit Bohémien sans doute.

Sous le fouet, il serrait les lèvres et ses yeux se fermaient de douleur, mais il ne gémissait pas.

L'homme, à regret, abandonna l'enfant et alla manger. Puis lui et ses trois compagnons s'éloignèrent du feu et entrèrent dans la cabane pour y dormir. La vieille se leva et se retira à son tour. Il ne resta plus dans la clairière que le chien, l'ours et la fillette. L'enfant attaché au poteau n'avait plus ouvert les yeux.

L'ours s'approcha de lui, le flaira. L'enfant demeura immobile. L'ours se coucha presque à ses pieds, et ne bougea plus. Le chien partit dans les bois pour chasser.

50

le grand ours brun
la patte, le profil,
l'empreinte

La fillette s'allongea devant le feu et bientôt s'endormit.

Alors l'enfant souleva la tête et ouvrit les yeux. D'un regard lent il fit le tour de la clairière. Ce regard vint vers moi et, quand il passa sur mes yeux, un frémissement m'agita. Pourtant il n'avait pu me voir. J'étais enfoui sous les branches et les feuilles, mais il me toucha. Une folle idée prit ma tête : « Ah ! pensai-je, il faudrait ramper jusqu'au poteau et délier les cordes. » Je n'en avais pas le courage. Le camp, à peine assoupi, était là, avec sa sorcière, son ours, ses quatre hommes cruels, et cette fillette, qu'un rien pouvait éveiller brusquement.

Comment fis-je pour l'oublier ?... Je sortis de mon buisson et m'avançai d'un pas dans la clairière.

Alors l'enfant me vit. La flamme m'éclairait en plein. Il me vit, mais ne broncha pas. Ses yeux brillaient, ses dents de loup luisaient entre ses lèvres retroussées, et il me regardait venir vers lui, comme un fantôme, sans manifester la moindre émotion.

Arrivé au poteau, je portai ma main sur la corde pour la dénouer. Mais les nœuds étaient durs, serrés, inextricables.

— Il y a un couteau près du chaudron, me chuchota l'enfant. Je m'appelle Gatzo.

Mais près du chaudron dormait la fillette.

— Elle va s'éveiller, répondis-je, déjà tremblant.

— Ah ! tu as peur ?... murmura le prisonnier.

Et il baissa la tête. Sa douleur me bouleversa. Je le quittai et allai vers le feu. Je marchais légèrement, comme en songe.

Le couteau se trouvait par terre, mais, par hasard, en s'endormant, la fillette avait mis dessus sa main crispée.

Je pris cette main, écartai doucement les doigts, retirai le couteau.

La fillette entrouvrit les yeux et me regarda.

— Oh, soupira-t-elle, je rêve...

Elle porta la main à son visage et, effrayée par sa vision, me tourna le dos. Le sommeil la reprit.

Je revins au poteau.

Déjà les cordes qui serraient les bras étaient tranchées. Un oiseau nocturne gémit. L'ours s'éveilla.

Étonné de me voir, il se dressa, tout d'une pièce et, en grognant, tendit vers moi son énorme museau.

— Ne crains rien, me dit l'enfant. Je sais lui parler.

Il dit : « Agalaoû, Agalaoû, Rekschah ! Arazadoulce !... »

Sa voix, en prononçant ces mots, se fit, de gutturale, caressante. L'ours s'apaisa. Il se remit en boule, soupira d'un air résigné, et se rendormit.

Je tranchai les derniers liens.

Nous nous éloignâmes du campement.

Pas de lune. Il faisait tellement sombre que, sans mon compagnon, je me serais perdu vingt fois. Mais lui, se dirigeait dans l'ombre, avec des yeux de chat étincelants, et il me tenait par la main.

— Où nous mènes-tu ? demandai-je.

— A la barque, me souffla-t-il.

Nous y arrivâmes bientôt.

Il me dit :

— Voilà le salut.

J'avouai ma peur :

— Nous allons nous noyer, certainement, le courant est terrible.

— Ils nous tueront, si nous restons ici, me répondit-il vivement. Ne crains rien. Je connais l'eau.

Nous tirâmes péniblement la barque du buisson où l'avaient cachée les Bohémiens.

J'embarquai. Gatzo entra dans l'eau, poussa. J'admirais sa force. Mais le courant nous ayant pris, il grimpa à bord.

— Tiens-toi à l'avant, me dit-il. Moi, je vais gouverner.

Il plaça une rame en poupe et gouverna. Un remous lentement nous écarta de l'île. Elle m'apparut alors colossale et sombre, avec ses arbres gigantesques, au milieu de ces grandes eaux en mouvement.

On la côtoya quelque temps. Puis on prit le courant en biais et on se dirigea vers le large de la rivière.

L'île, peu à peu, s'enfonça dans les ténèbres.

— Où allons-nous ? demandai-je timidement.

Gatzo ne me répondit pas. A peine pouvais-je le voir. Mais à son souffle, à ses ahans, je devinais qu'il pesait de toutes ses forces sur la rame. Car la rivière était puissante et ne se laissait pas naviguer sans effort.

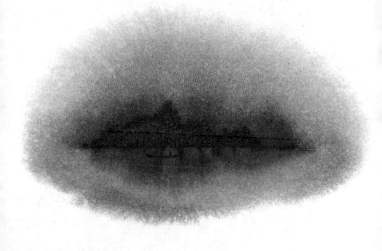

Les eaux dormantes

Nous naviguâmes une bonne partie de la nuit. Je veillai. Gatzo tint d'abord le milieu de la rivière. Il semblait la connaître. Un courant rapide nous emporta. Plus tard, je vis se rapprocher les arbres de la rive. Ils s'avançaient vers nous confusément et notre vitesse se ralentit. On s'engagea alors dans un chenal entre deux murailles noires de plantes. Bientôt il devint si étroit qu'en passant on frôlait les feuilles humides. Puis il s'élargit et, sur un plan d'eau, qui me sembla vaste, à la faible clarté stellaire, la barque de plus en plus lente finit par s'immobiliser.

On l'amarra. Gatzo me dit :

— Comment t'appelles-tu ?

— Pascalet.

— Eh bien, Pascalet, tu es à l'abri. Fais comme moi, dors. Bonne nuit.

Et il s'allongea au fond de la barque.

Je l'imitai. Quoique les planches fussent dures, je m'endormis bientôt, car j'étais fatigué. Et mon sommeil fut bon cette nuit-là.

Or, ceci se passait il y a bien longtemps et maintenant je suis presque un vieil homme. Mais de ma vie, fût-elle longue encore, je n'oublierai ces jours de ma jeunesse où j'ai vécu sur les eaux. Ils sont là, ces beaux jours, dans toute leur fraîcheur. Ce que j'ai vu alors, je le vois encore aujourd'hui, et je redeviens, quand j'y pense, cet enfant que ravit, à son réveil, la beauté du monde des eaux dont il faisait la découverte.

Quand j'ouvris les yeux l'aube se levait. D'abord je vis le ciel. Je ne vis que le ciel. Il était gris et mauve, et seul, sur un fil de nuage, très haut, un peu de rose apparaissait. Le vent tissait, plus haut encore, d'autres fils à travers un treillis léger de vapeurs ; et, du côté de l'aube, une buée d'or pâle se levait lentement de la rivière. Un oiseau lança un appel, peut-être était-ce une bouscarle. Son cri hardi et coléreux éveilla le coassement discret d'une grenouille. Puis un vol de plumes mouillées froissa les touffes de roseaux et tout autour de

Sarcelle d'hiver
mâle

la Bouscarle
aux sourcils blancs.

Bouscarle

l'œuf du Loriot

le nid
de la Rousserolle
dans les roseaux

grèbe huppé sur son nid flottant
bébé grèbe sur le dos de sa maman

notre barque le murmure confus des bêtes d'eau, encore invisibles, monta : tous les bruits, tous les soupirs, des mouvements furtifs, un clapotis, des gouttelettes, ce plongeon d'un rat effaré, là-bas cet oiseau vif qui s'éclabousse, le choc d'un éboulis, le glissement d'une sarcelle qui se faufile entre les joncs, un rauque appel, la rousserole, tout à coup, le sifflet du loriot, et déjà, sous un saule du rivage, le roucoulement de la tourterelle... J'écoutais. Par moments la brise de l'aube passait sur ce monde irréel, ces lieux uniquement sonores, et les plantes des eaux s'éveillant du silence, pliées par le souffle, bruissaient doucement. La barque ne remuait pas. Comme un flotteur de liège, elle paraissait si légère qu'à peine tenait-elle à l'eau...

Dans le fond du bateau dormait mon compagnon. Il était allongé sur le dos. La tête renversée en arrière, il dormait. Le sommeil immobilisait son visage. Un visage brun et musclé aux pommettes saillantes. Le nez court y gonflait deux petites narines. Les lèvres avaient l'air de serrer le sommeil avec fureur, et deux grandes paupières noires lourdement couvraient les yeux clos. Ainsi le masque du sommeil moulait exactement cette petite âme sauvage. Entre elle et la chair du visage, il n'y avait rien.

Mais la vie y montait avec violence.

Quand le soleil, passant par-dessus les roseaux, atteignit ce visage, les yeux s'ouvrirent tout à coup.

Gatzo m'aperçut et il me sourit. Sur cette figure sérieuse les traits durs tout à coup se détendirent et alors se forma ce sourire très tendre qui me bouleversa.

— Pascalet, murmura Gatzo...

Et je lui souris à mon tour. Nous étions amis.

C'est alors que commença le temps des eaux dormantes. Nous vécûmes dix jours cachés dans un bras mort de la rivière. « Là, affirmait Gatzo, nous serons quelque temps en sûreté, plus tard, on verra. »

Ce bras mort s'enfonçait du côté de la rive gauche (à l'opposé de ma rive natale) profondément dans les terres basses. Nous étions séparés de leur rivage par d'inextricables four-

fleur et
feuille de
l'obier

rés de plantes aquatiques. Elles nous cachaient.

Le long du bord, une épaisse muraille d'aulnes. Plus près de nous, des obiers, des ajoncs et, par masses profondes, des murailles de roseaux. Tous les roseaux : le roseau des étangs, le panaché, celui de la Passion, l'aromatique. Du limon vierge, ils s'élevaient, durs et vivaces, et formaient çà et là, au milieu des eaux glauques, d'impénétrables îles.

Le bras mort s'y perdait en canaux innombrables. Les uns partaient à travers l'archipel végétal, et peu à peu, disparaissaient sous une voûte de verdure. D'autres s'enfonçaient sous les saules. Tous restaient mystérieux. Leurs eaux sommeillaient. Quelquefois cependant un courant invisible entraînait une fleur de sagittaire ou de trèfle d'eau.

Ces spectacles m'enchantaient. Gatzo, au contraire, paraissait indifférent. Il parlait peu.

La rousserolle
sur un
roseau

Ses manières brusques m'étonnèrent d'abord, puis je sus m'y faire. Sa délivrance, notre fuite, jamais il ne les rappela. Il avait l'amitié taciturne. Nous pouvions nous entendre, car, moi aussi, j'aime le silence. Mais pour d'autres raisons que lui. Il se taisait pour réfléchir à des actes utiles. Ses pensées s'appliquaient toutes à des besoins : pêcher, trouver un bon mouillage, tendre une toile contre le soleil, s'abriter, cuire le repas. Rien pour le plaisir de parler, quand il disait quelque parole. Et pas un geste vain. Chaque mot contenait une intention, chaque mouvement son utilité. Il était économe de son âme. Mais son âme était là. Je la sentais à mes côtés, toute close dans ce corps brun, et sans doute un peu sombre. Inséparable d'une vie violente, c'était sur un sang noir qu'elle vivait. On la devinait vindicative et fidèle.

Tout en moi contrastait avec cette nature, sauf ce goût du silence. Mais, moi, si je me tais, c'est pour le plaisir de me taire. Ce plaisir n'exclut pas quelques pensées ; toutefois, ce ne sont que des pensées oisives, qui flânent, errent, vagabondent, ou bien entrent dans ce demi-sommeil si favorable aux vaines songeries. Je ne fais pas alors de réflexions, mais je poursuis nonchalamment le reflet des figures vagues qui me peuplent et, si je garde le silence, c'est qu'il facilite à ces ombres fugitives l'accès d'une âme enchantée par leurs apparitions.

— Tu dors debout, me disait Gatzo, irrité.

Lui, avait séparé le sommeil de la veille, avec une cruelle netteté.

— Quand je dors, disait-il, je fais ce qu'il faut. Je ferme les yeux et je ne pense à rien. Ça me repose. Toi, quand tu dors, tu te tournes, tu parles et tu gâtes ton sommeil...

Je ne répondais rien ; il avait raison. Mais j'étais peiné.

Le premier jour passé dans le bras mort fut beau. Je n'en ai jamais connu de pareil. Il est le plus beau de ma vie. Tout d'abord on explora la barque. Elle révéla des trésors. Deux coffres pleins. L'un à l'avant. Il contenait des engins de pêche : crins, flotteurs, hameçons, lignes, nasses, tramails, bricoles. L'autre, à l'arrière. Il était bourré de provisions. On les avait placées dans des boîtes de fer, à l'abri de l'humidité.

— Souvent ils allaient loin de l'île, m'apprit Gatzo... Sans pouvoir se ravitailler. Voilà pourquoi...

J'aurais voulu en savoir plus long, mais Gatzo s'en tint là de sa confidence.

La découverte de ces vivres nous emplit de

joie. Il y avait là du café, du sucre, un barillet plein de farine, des légumes secs, des épices, une fiasque d'huile, que sais-je ?... En somme, de quoi subsister pendant plus d'une semaine.

Pour la barque, elle était armée de quatre rames.

La coque en bon état paraissait tout à fait étanche. La peinture tenait bon. Sur le dos du coffre de proue on avait encastré une rose des vents en cuivre. Elle nous émerveilla. Car elle avait trente-deux pointes et portait seize noms de vents, tous plus beaux les uns que les autres : Labé, Gregali, Tramontane...

— Il faudra l'astiquer, déclara Gatzo, vivement, c'est notre porte-chance.

On laissa tout pour l'astiquer. Elle étincela.

Tout autour de la rose, en grandes lettres d'or, apparut le nom de la barque : « La Marouette ».

— Ils l'ont volée, affirma Gatzo. Je sais où. Mais c'est loin d'ici.

Il montra les eaux en amont.

A peine y voyait-on bleuir de légères collines.

— Là ? demandai-je.

— Là, me répondit Gatzo. C'est un beau pays.

Quel pays ? Et d'où venait Gatzo dans l'île ? Qui était-il ?

Je me le demandais sans oser l'interroger, lui qui ne demandait jamais rien. Car moi aussi j'étais pour Gatzo un mystère. Ma présence dans l'île, mon apparition imprévue, auraient dû l'intriguer. Et cependant il ne manifestait nulle curiosité de ces miracles, dont j'étais, moi-même, le premier stupéfait.

Car, par moments, je me disais que je faisais un rêve délicieux et terrifiant...

Pouvais-je me trouver, après tant d'aventures, seul avec un enfant dont je ne savais que le nom, sur cette barque ? Cette barque cachée, perdue au milieu des roseaux, sur un bras mort de la rivière ?...

Et le pouvais-je avec délices, sans remords ? Car je n'avais pas de remords, même en pensant à la pauvre Tante Martine. Elle devait gémir, pleurer, crier, arracher sa coiffe, la pauvre !

Je la voyais, je l'entendais, je la plaignais un peu, d'ailleurs sans conviction ; mais n'empêche que d'être là à flotter sur ces quatre planches légères, en pleine matinée de soleil et de brise, m'emplissait d'un bonheur vivant, d'un vrai bonheur... J'en avais sur la peau, j'en avais dans la chair, j'en avais dans le sang ; il descendait jusque dans l'âme. Je ne savais pas ce qu'est l'âme. A cet âge-là on est ignorant. Mais je sentais bien que ma joie de vivre était

plus grande que mon corps, et je me disais :
« Pascalet, c'est l'ange du Bon Dieu qui remue
de plaisir en toi. Traite-le bien. »

Je le traitais bien, mais assez familièrement.
Car le premier jour on travailla dur.

D'abord on changea de mouillage.

— Au beau milieu de ce plan d'eau, si quelqu'un passe, il va nous voir, remarqua sagement Gatzo. Déplaçons-nous.

A petits coups de rames, on se rapprocha
des roseaux.

On mouilla au milieu de trois îlots touffus.
L'un d'eux faiblement émergeait. Le sol, de
vase desséchée, en était assez dur.

Il y poussait de longues herbes, quelques
arbustes et, sur les bords, de beaux plants
d'écuelle d'eau.

— C'est là que sera notre feu, décida Gatzo. Il y a du bois mort. Creusons un four.

On le creusa. Gatzo découvrit deux galets,
larges, plats. Nous fîmes un tas de bois mort
et de brindilles.

— Et maintenant pêchons notre dîner,
ordonna Gatzo.

Il arma deux lignes. J'étais novice dans l'art
de pêcher. Il m'enseigna.

Lui se posta sur le bout de la barque à
croupetons.

Gatzo prit quatre éperlans
et une Loche

les deux lignes
flottaient
nonchalamment

le jonc des marais

une grenouille verte immobile
sur une feuille d'Iris des marais

— Regarde-moi faire et tais-toi, m'enjoi-gnit-il.

Les deux lignes erraient nonchalamment et, immobile, le bouchon flottait sur l'eau limpide et sombre.

Rien ne bougeait. Pas un souffle sur les roseaux. Pas un courant dans l'onde. Seul un vain papillon voletait, rose et or, à deux doigts de l'eau pure et assoupie. Parfois il l'effleurait. Y buvait-il ?... Tout autour de notre retraite, l'ombre des roseaux et des saules tamisait la lumière ; et seul un demi-jour flottait sur cette mystérieuse étendue liquide. Peut-être, sous ses reflets glauques, l'invisible empire des eaux était-il inhabité. J'inclinais à le croire ; et cependant, parfois, dans la pénombre sous-marine, il semblait qu'on vît se glisser un doigt d'argent qui disparaissait aussitôt. Et alors, quelques bulles d'air, détachées d'une algue, montaient.

Gatzo prit quatre éperlans et une loche.

Moi, un vairon.

Dès lors nous menâmes une vie passionnante. Nous avions dans nos mains la nourriture ! Quelle nourriture ! Car ce n'était pas là un aliment banal, acheté, préparé, offert par d'autres mains, mais notre nourriture à nous, celle que nous avions pêchée nous-mêmes, et qu'il nous fallait nettoyer, assaisonner, cuire nous-mêmes.

Or, les pouvoirs secrets de cette nourriture donnent à celui qui la mange de miraculeuses facultés. Car elle unit sa vie à la nature. C'est pourquoi entre nous et les éléments naturels un merveilleux contact s'établit aussitôt. L'eau, la terre, le feu et l'air nous furent révélés.

L'eau qui était devenue notre sol naturel : nous habitions sur l'eau ; nous en tirions la vie.

La terre, à peu près invisible, mais qui tenait les eaux entre ses bras puissants.

L'air d'où viennent les vents, les oiseaux, les insectes.

L'air où les nuages circulent si légèrement. L'air paisible et orageux. L'air où s'étendent la lumière et l'ombre. L'air où se forment les présages.

Le feu, enfin, sans quoi la nourriture est inhumaine. Le feu qui réchauffe et rassure. Le feu qui fait le campement. Car sans le feu il manque un génie à la halte. Elle n'a plus de sens. Elle perd tout son charme ; elle n'est plus une vraie halte, avec son repas chaud, ses causeries, son loisir entre deux étapes, ses rêves et son sommeil bien protégé.

Jusqu'à ce jour, je ne connaissais pas le feu,

le vrai feu, le feu de plein air. Je n'avais jamais vu que des feux apprivoisés, des feux captifs dans un fourneau, des feux obéissants, qui naissent d'une pauvre allumette, et auxquels on ne permet pas toutes les flammes. On les mesure, on les tue, on les ressuscite et, pour tout dire, on les avilit. Ils sont uniquement utiles. Et si l'on pouvait s'en passer, pour chauffer et cuire, on n'en verrait plus chez les hommes. Mais là, en plein vent, au milieu des roseaux et des saules, notre feu fut vraiment le feu, le vieux feu des camps primitifs.

Ces feux-là ne s'allument pas facilement.

On dénicha une pierre à fusil dans la barque. Mais pas d'amadou. Gatzo tordit des fibres de massette morte et à force de patience finit par y piquer une étincelle. On souffla dessus. Le cœur nous battait. Il nous fallait du feu. Sans feu, impossible de vivre, comme nous l'avions résolu.

Enfin, la fibre pétilla et on communiqua le feu à un tas d'herbes sèches. Placées sous une hutte de brindilles, elles l'enflammèrent peu à peu. On fit de la braise. On chauffa le four et les galets. Quand les galets furent brûlants, on y déposa les poissons, gavés et habillés de branches de fenouil. La chair grésilla. Ce fut le plus beau repas de ma vie. Il embaumait la braise, le fenouil et l'huile fraîche. On but de l'eau. On trempa nos biscuits dans un café fort. Puis on s'allongea sur le dos et on dormit.

Quant au feu, on le préserva sous une coupole de cendres bien close. Il fut abrité, dans un trou, et il se mit à vivre très doucement. Il devint alors invisible. Ce n'était qu'un germe de feu enfoui dans l'argile, et il dura jusqu'au soir, où nous l'alimentâmes de nouveau. De temps à autre, il émettait un imperceptible fil de fumée et l'odeur de la cendre tiède s'épandait à travers les roseaux qui abritaient le campement.

Nous eûmes, dès le premier jour, le souci de cacher notre fumée. Car la terre, toute proche, était pleine de menaces. La végétation de notre île, certes, nous dissimulait bien, mais la fumée s'en échappait ; et, à tout moment, elle pouvait trahir notre présence. Les bords de la rivière paraissaient inhabités. Mais il n'y a pas de lieux inhabités où ne vienne parfois un homme : pêcheur, braconnier, promeneur oisif. Nous résolûmes donc d'explorer le rivage.

Dans le bras mort, le courant étant insensible et les fonds hauts, nous manœuvrâmes à la perche.

Les abords de la terre étaient bien gardés.

galet du dessus

baguettes de bois
pour poser les aliments

Terre

cheminée

foyer

Terre,
vase desséchée

Four construit par Gatzo - en coupe -

C'est là que sera notre feu
déclara Gatzo

La flore des eaux y croissait avec une merveilleuse puissance. Nous naviguions avec lenteur et précaution sur de grandes prairies en fleurs. Là s'élevaient le plantin et la vinaigrette, la boule d'or et le glaïeul des marécages. Nous écartions de notre proue des lentilles d'eau et des nénuphars. Plus loin les eaux d'un canal glauque étaient couvertes de valérianes palustres. L'étendue liquide dormait sous toutes ces floraisons blanches, roses, jaunes et violacées ; les unes dressant leurs tigelles ; les autres flottant sur les eaux immobiles. Parfois on rencontrait de hautes gentianes bleues qui nous émerveillaient. Nous vîmes même quelques flambes d'eau, qu'on appelle aussi l'iris des marais, mais il ne fleurit qu'en septembre.

On prit terre sur un lit de gravier. Ayant escaladé la berge, on examina le pays. Il était vide.

— C'est le désert, me dit Gatzo.

— Alors on sera bien tranquille...

— Peut-être, Pascalet. Mais il vaut mieux se tenir sur ses gardes. S'il n'y a que nous dans ce coin, on ne tardera pas à s'en apercevoir...

— Et qui ?

— Je ne sais pas. Quelqu'un. Il y a toujours quelqu'un de caché.

Nénuphar blanc

Écuelle d'eau

Lentilles d'eau

Nous naviguions avec lenteur
sur de grandes prairies fleuries

Là s'élevait un énorme bouleau. On y grimpa. Alors le pays nous apparut.

En amont du fleuve, une vaste vallée. Des bois assombrissaient les rives basses. Au fond une montagne. A peine si on la voyait ; elle ressemblait à un nuage.

Gatzo me dit :

— Cette nuit, Pascalet, on a bien fait sept lieues. Tu ne vois plus l'île. C'est une chance.

— Ils nous poursuivront ? demandai-je.

— Peut-être. Il leur faut une barque.

— La mienne est restée échouée ; mais elle prend l'eau.

— Ils l'auront vite réparée. Je les connais bien. Trois jours suffiront.

Il réfléchit, puis ajouta :

— Jusque-là on sera à peu près tranquille. Et après, on s'arrangera...

En aval, le bras mort, un quart de lieue plus loin, rejoignait la rivière. Celle-ci descendait en se rétrécissant vers de jolies collines.

Là, elle rencontrait des falaises rocheuses et on la voyait qui tournait, tout étincelante, au soleil couchant. Sur l'étendue des terres brunes, une étendue d'eau, vive, immense, plus loin encore, resplendissait. Déjà le soir y soulevait de grandes colonnes de vapeurs tièdes. Les unes poudroyaient comme de l'or ; les autres, qui fumaient à l'ombre des collines, bleuissaient déjà.

A nos pieds, longeant le bras mort, courait une lande déserte. Des bouquets de viornes et de tamaris, seuls, l'animaient. Partout ailleurs un sol inculte, caillouteux. Pas une cabane, et aucune vie. A peine çà et là une farlouse ou un triste grimpereau.

La lande s'élevait, au sud, rapidement vers la crête d'une colline dénudée qui nous cachait le reste du pays.

— Il doit y avoir un village, dit Gatzo.

— Où ?

— Quelque part, derrière cette crête.

— Comment le sais-tu ?

Il sourit.

— Je le sens. Voilà tout. Un jour on ira jusqu'à la crête. Et tu verras.

J'admirais l'assurance de Gatzo. Il savait tout.

Du haut de l'arbre on voyait, traversant les cailloux de la lande, un ruban d'herbes vivaces. Il descendait vers le bras mort et, çà et là, une touffe de joncs en jaillissait.

— Une source, me dit Gatzo. Il faut aller voir.

On y alla.

On ne trouva, sous l'herbe haute, qu'un sol

humide. On retourna jusqu'à la barque pour y prendre une pioche.

— Creusons ici, Pascalet, dit Gatzo.

Et sous un renflement d'argile, on fit un trou. L'eau suinta. On continua à creuser, et on maçonna un petit bassin. Par une faille dans l'argile l'eau humecta une couche de sable. On construisit une paroi où un roseau fut enfoncé. Et on attendit. D'abord le roseau resta sec. Nous brûlions d'impatience, plus encore que pour le feu. Enfin, une gouttelette se forma, elle s'arrondit ; longtemps elle resta indécise. Tout à coup elle tomba. Une autre vint, et lentement, à la pointe du roseau vert, naquit la source. A peine un fil d'eau, mais filtré.

En une heure, la conque recueillit une coupe d'eau limpide. A plat ventre chacun de nous en but une lampée. Elle avait encore la

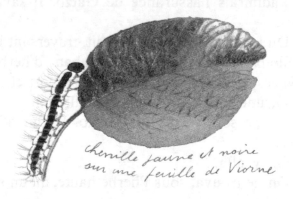

chenille jaune et noire
sur une feuille de Viorne

douceur de l'argile fraîche et de la racine de sureau.

J'en emportai une bouteille. Et la barque nous ramena dans l'île, où nous arrivâmes avant la nuit.

Le feu fut attisé, mais avec prudence ; car les arbres, sur nous, dès qu'une flamme s'échappait, en reflétaient vivement la lueur dans leur feuillage.

Les grenouilles, en coassant, annoncèrent la nuit.

Elle fut calme.

Les jours suivants ressemblèrent au premier jour, les nuits à la première nuit. Il y avait, en nous et tout autour de nous, une grande paix. Après l'ivresse des premières heures, nous avions accordé notre vie à la vie de ces eaux dormantes. Nous réglions tous nos mouvements sur le soleil et sur le vent, sur notre faim et sur notre repos. Et il nous en venait au cœur une merveilleuse plénitude.

rameau de
tamaris
avec une petite
araignée
toute verte.

Tout ce que nous faisions durait long-temps ; et nous trouvions ce temps trop court. Car sur les eaux dormantes tous les gestes sont lents, et c'est avec lenteur qu'une barque s'en va d'un îlot à l'autre. On vit sans impa-tience, et on a de longues journées. On les aime pour leur longueur et leur apparente monotonie. Car rien n'est plus vivant, quand on sait déceler la vie, que ces lieux où l'air et les eaux semblent dormir.

Certes, il est des moments où ils reposent ; mais, sous leur repos, mille vies invisibles secrètement continuent à les animer.

Je le compris alors et n'ai pu dès lors l'ou-blier.

C'était le jour, le plus souvent, qui immobi-lisait les nappes de l'air et de l'eau.

Dès que la brise du matin s'était enfuie, la terre et l'eau tombaient dans la tranquillité.

Vers onze heures, Gatzo faisait un grand plongeon. Il s'enfonçait obliquement jusqu'à des algues sombres, et je suivais des yeux, avec une vague terreur, son corps brun qui errait, loin de moi, sur ces fonds aux herbes dangereuses. Je voyais se ployer et se déployer lentement ses longues jambes dans cette onde verte. Il y évoluait longtemps et avec une telle aisance qu'il semblait créé pour les eaux autant que pour la terre. Ce n'était alors, à mes yeux, qu'une inquiétante bête sous-marine et j'étais étonné de le voir émerger, les yeux clos, le visage grave, sous ses longs cheveux ruisselants, à dix pas de la barque lourde où, incapable de le suivre, je l'avais attendu avec appréhension.

Il allait se sécher sur le rivage. En plein soleil, sa peau de bronze fumait doucement.

Ne sachant pas du tout nager, je ne le suivais pas dans ses baignades. Parfois il partait, en nageant, à travers les canaux, et j'étais angoissé qu'il disparût. « S'il ne revenait pas, s'il se noyait, que ferais-tu tout seul ? » me demandais-je.

La barque, pour moi seul, était trop lourde, et je n'avais aucune expérience de cette vie libre et sauvage, à laquelle il semblait habitué.

Les après-midi étaient chauds. On s'y assoupissait. A part le frémissement d'un insecte, ou le saut inattendu d'une carpe, rien ne passait sur le silence.

Nous faisions, dans l'îlot, des siestes douces, à l'ombre des roseaux et des bouleaux nains. Quelquefois nous menions la barque sous un tunnel de verdure, à l'abri. Là poussaient l'osier rouge et cet « arbre d'argent » qui ressemble à un olivier. On s'amarrait à une racine de saule et jusqu'au soir on s'abandonnait sans souci au plaisir de voir voleter, sur

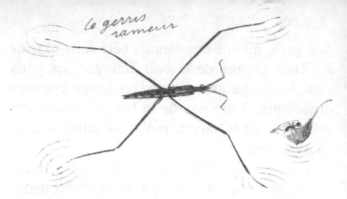

le gerris rameur

les eaux, papillons, éphémères et libellules, ou ces gerris infatigables qui rament si nerveusement, pour le plaisir de plisser l'eau...

Nous parlions peu. Gatzo ne rompait le silence que pour me chuchoter :

— Pascalet, tiens-toi bien, il y a une bête.

On ne bougeait plus.

Une touffe remuait. Le plus souvent, sauf ce frémissement, rien ne décelait la présence d'un animal. Il restait invisible. Quelquefois un museau pointu fouillait les roseaux ; et une bête apparaissait, roussâtre, aux yeux cruels. Une belette.

Ayant flairé l'eau prudemment, elle se retirait dans le feuillage.

Rassuré par notre silence, un rat fruitier se glissait sur la berge, inquiet, fureteur. Il y restait peu.

Une sarcelle ou une foulque traversait le canal et disparaissait dans les joncs, en ridant à peine l'eau.

Parfois, sous la voûte des branches, telle une flèche, s'élançait le martin-pêcheur ; de son ventre bleu il effleurait l'onde...

Le soir venait bientôt, de la terre sur notre retraite. Toutes les eaux se coloraient de rose, d'or et d'hyacinthe, et les feuillages roux se reflétaient sur la lisse étendue du canal tranquille.

Nous repartions, à petits coups de perche, vers le vaste plan d'eau pour y passer la nuit.

Là, on mouillait sur une petite ancre, par trois mètres de fond. Nous y étions en sûreté ; car nous gardions toujours la crainte du rivage.

Et c'est en mangeant, à la proue, deux biscuits et trois figues sèches, que nous regardions descendre la nuit.

Quand elle était tout entière venue, avec son chargement d'étoiles. Gatzo, plus confiant, me parlait un peu. L'ombre nous rapprochait.

— Il y a sûrement une loutre, tout près, me disait-il.

— Où ?

— Dans les aulnes. Elle vient boire. Je l'entends toutes les nuits.

— Tard ?

— Oui, très tard.

— Et tu es réveillé ?

— C'est elle qui m'éveille. Elle bat l'eau quand elle a bu. C'est une forte bête.

— Je voudrais la voir, lui disais-je.

— Comment la voir ? Il n'y a pas de lune...

Car il n'y avait pas de lune, sauf un croissant imperceptible, qui frôlait l'horizon au crépuscule, puis il disparaissait. Nos nuits n'étaient qu'un empire d'étoiles.

Il en pendait de tous côtés et l'entrecroisement de leurs branches d'argent étincelait, en haut, sur l'ombre, tandis que, tout autour de nous, leurs milliers de feux purs luisaient sur les eaux immobiles. Nous flottions entre deux ciels calmes, hors du temps et de l'espace...

Les rainettes coassaient, par peuplades entières, quelquefois sauvagement.

Plus tard, chantait, non loin de nous, une tribu plus douce de crapauds. Je les aimais. Partout, plantes et eaux, rives et arbres, s'animaient, à la nuit tombée, d'une vie confuse et mystérieuse. Un canard s'ébrouait dans les roseaux ; une chevêche miaulait sur un peuplier noir ; un blaireau brutal fouillait un buisson ; une fouine, glissant de branche en branche, faisait imperceptiblement frémir deux ou trois feuilles ; au loin glapissait un renard rôdeur.

la chevêche

— C'est une bête triste, me disait Gatzo. Elle réfléchit.

Je ne comprenais guère.

— Alors, Gatzo, c'est pour ça qu'elle est triste ?...

Mais Gatzo ne répondait pas. Il se contentait de me dire :

— Elle a perdu son paradis... C'est ce qu'on raconte chez nous, les vieux le savent bien... Mais écoute...

Et j'écoutais. Car un oiseau très merveilleux commençait à chanter sur le rivage. Toutes les nuits, à la même heure, à la pointe du même ormeau, son appel nuptial s'élevait sur les eaux et la campagne. Le renard se taisait et nous retenions notre souffle tant était beau le chant nocturne du rossignol, en cette fin du mois d'avril, qui est le temps des pariades.

On s'endormait en l'écoutant. Le sommeil

de ces nuits était léger ; si léger que l'on s'éveillait une ou deux fois avant la naissance de l'aube.

Souvent on entendait, en sortant du sommeil, la voix de l'oiseau merveilleux qui chantait encore. Mais alors elle était plus lente et plus grave. Rien qu'à la façon dont sa plainte retentissait, seule, au fond de la nuit, sur le silence des eaux invisibles, on devinait que toutes les bêtes lacustres reposaient. Et soi-même on rentrait dans le sommeil en traînant longtemps après soi ce chant brûlant et solitaire...

A l'aube, on ne voyait d'abord qu'un grand oiseau. Il se tenait dans une profonde immobilité, sur un mince banc de vase, à cinquante mètres de la barque. Son bec pointu menaçait l'eau. Le jabot en avant et haut sur pattes, solennellement il pêchait. C'était un héron gris. Nous l'admirions, mais en silence, car un rien effarouche ces oiseaux.

Un peu plus tard, une troupe de harles apparaissait. Elle débouchait toujours d'un canal. C'était une petite flotte matinale qui manœuvrait avec aisance sur le vaste plan d'eau où flottait une buée fine. L'apparition des harles annonçait le début de la matinée. Arrivés à vingt mètres du rivage, ils viraient de bord tous ensemble, et l'escadre mettait le cap, soleil en poupe, sur un de ces tunnels de feuillage où bientôt elle disparaissait dans la pénombre.

Alors toutes les bêtes remuaient. C'était l'éveil.

Ainsi nous vivions dans l'oubli et l'insouciance.

Quelquefois tout était si calme que ce calme nous pesait. Alors nous inventions des dangers imaginaires.

— On ne sait pas, disait Gatzo, d'un air pensif, quels sont les habitants de ce pays. Car il y en a.

— Pour sûr qu'il y en a, répétais-je comme un écho. Ce sont peut-être des sauvages...

J'avais un frisson dans le cou, un frisson délicieux. Pensez donc ! des sauvages !...

Gatzo, prudent, hochait la tête.

— Cette rive-là, Pascalet, ne m'a jamais rien dit de bon...

Il désignait la rive gauche du bras mort, couverte de fourrés impénétrables.

— Imagine, poursuivait-il, qu'on est chez les coupeurs de têtes, les cannibales noirs. Ça n'est pas différent. Tout broussaille par là et tout broussaille par ici.

J'éprouvais alors une feinte terreur. Elle m'était bien agréable. Car lorsqu'on se fait peur, en créant un danger invraisemblable, on sait évidemment que l'on ne risque rien, mais on a tout de même peur. Et c'est un plaisir des plus merveilleux.

— Pascalet, m'annonça Gatzo un beau matin, il faut nous fabriquer des armes !...

Il façonna un arc, plus haut que lui. On fit des flèches de roseau.

Dès qu'un buisson remuait un peu, on lui décochait une flèche.

Quand on a une arme, on s'en sert, fatalement. On tire pour tirer. Par malheur on n'aime pas tirer sur rien. On cherche vite un but. Je n'en sais pas de plus tentant qu'un bel oiseau. Il venait des milliers d'oiseaux autour de nous, familiers, confiants, qui, nous voyant inoffensifs, s'étaient associés à notre vie, presque autant que la leur, paisible, naturelle...

Souvent Gatzo, l'arc à la main, suivait du regard un col-vert qui, à quinze pas de la barque, se pavanait sur l'eau, plongeait, lissait ses plumes et même s'endormait, le bec fourré sous l'aile, sans aucune méfiance.

Gatzo, d'un doigt nerveux, faisait vibrer la cordelette, et il la tendait doucement sans s'en apercevoir, visait la bête...

Puis il relevait l'arme avec colère, et lançait sa flèche au hasard contre le rivage.

Le soir, on allait à l'affût, près de la source.

— Attendons la nuit, Pascalet, disait Gatzo. On verra les bêtes sauvages. C'est la nuit qu'elles viennent boire. J'ai relevé des griffes...

Il me les montra. Ces griffes nous troublaient beaucoup, l'un et l'autre. Mais la bête ne vint pas. Du moins on crut l'apercevoir au milieu de la lande. Elle nous parut énorme. On se tint coi.

— Je n'ai pas rêvé, Pascalet, affirma Gatzo. J'ai entendu son pas.

— Et moi, Gatzo, j'ai vu remuer ses oreilles.

Nous ne nous mentions plus, cette nuit-là. Certes, on y voyait mal ; mais il est certain qu'une forme se montra, assez loin de nous, au milieu de la lande. Elle apparut et disparut mystérieusement.

Si je n'avais pas vu réellement remuer ses oreilles, comme je l'affirmais, du moins croyais-je l'avoir vu, ce qui me permit d'ajouter, en manière de conclusion :

— Gatzo, cette bête est un monstre.

Une fois revenus dans notre barque, nous en discutâmes longtemps. Le monstre prit corps. On lui fit des pattes, une queue terrible. Pourquoi une queue ? Je ne sais. Peut-être à cause des lions, des tigres... Car c'était forcément un carnassier.

— Pourtant, Gatzo, on n'a pas vu briller ses yeux.

— Il les fermait, mon pauvre Pascalet. Il les fermait tout bonnement pour nous faire une ruse.

— Tu crois, Gatzo ? demandai-je, alléché par cette trouvaille admirable.

Et Gatzo, d'un ton protecteur :

— Pascalet, ces animaux-là, c'est pourri de malice.

J'en étais ému et ravi de bonheur.

On discuta longtemps encore pour établir plus clairement la nature, la race et le nom de la bête. On ne voulait ni du chien, ni du loup. Du moment qu'on tenait un vrai monstre, on n'allait pas le troquer sottement contre ces animaux connus de tout le monde. Comme on n'arrivait pas à l'identifier, Gatzo eut une idée qui m'émerveilla :

— C'est un Racal, affirma-t-il. On l'appellera un Racal. Il y a du Racal dans le pays. Tu as vu un Racal... Rien de plus simple...

le Blaireau

et l'empreinte
d'une de ses
pattes

...Rien, en effet, n'était plus simple. Cette bête était un Racal, et même un énorme Racal, de la taille d'un âne ; un Racal dangereux, par conséquent ; et de plus un Racal errant, un solitaire, un de ces Racals susceptibles, qu'un rien irrite et qui fonce sur vous d'un bond prodigieux, le bond bien connu du Racal, qui dépasse le bond du tigre ; et ce Racal évidemment devait ravager cette lande, où ne vivait pas une bête, où ne poussait pas une plante. Car le Racal hante la solitude, règne sur le désert et, quand il prend de l'âge, il devient d'une telle férocité que même le taureau de combat et le buffle prennent la fuite devant lui. On ne chasse pas le Racal ; car la chair du Racal est dure comme cuir ; et le Racal blessé est un adversaire terrible. Le Racal n'errant que la nuit, on le connaît mal. D'ailleurs, dans nos pays, le Racal devient rare. Bientôt il n'en restera plus. Nous avions vu probablement l'un des derniers Racals de

91

notre époque. Et nous en restions pantelants de plaisir et d'effroi...

— Gatzo ! déclarai-je, exalté par la grandeur de l'aventure, il faut retourner à l'affût.

La nuit suivante, on retourna donc à l'affût, mais on se posta sur un arbre.

— Le Racal ne grimpe pas, m'assura Gatzo, qui le connaissait mieux que moi, certainement.

Nous restâmes perchés sur la branche maîtresse d'un ormeau pendant la moitié de la nuit.

Mais le Racal ne revint pas.

— Il nous a éventés, me dit Gatzo.

Car le Racal, chacun le sait, a un flair extraordinaire.

Mais, deux jours après, il nous fit une fière peur.

Vers dix heures du soir, on entendit un vacarme de bois cassés dans les boqueteaux du rivage. La broussaille tremblait ; les branches éclataient de toutes parts. De brutaux piaffements troublaient l'eau. Puis, la bête souffla, renifla, grogna,

— Il se baigne, Pascalet, me chuchota Gatzo, qui s'était rapproché de moi en rampant au fond de la barque. Et surtout ne bouge pas. On dit qu'il nage.

Cette fois, je frémis réellement de peur.

Enfin la bête s'en alla.

Nous nous taisions. Peu à peu le sommeil me prit.

Mais Gatzo, plus brave que moi, surveilla le rivage jusqu'à l'aube.

À dater de ce jour, l'inquiétude nous saisit. C'était un sentiment bizarre : nous commencions à craindre d'avoir vraiment peur. Car ce vacarme de la nuit, nous l'avions entendu, de nos propres oreilles. Il n'avait rien d'imaginaire. Un animal était venu troubler la paix de la retraite où nous pensions que, sauf le farouche Racal, nulle bête ne hantait.

Nous affirmions bien, il est vrai, que ce visiteur inconnu ne pouvait être qu'un Racal, mais finalement nous n'en savions rien. Et si ce n'était pas un Racal ?... Si c'était simplement une vraie bête ?...

— Il vaut mieux changer de mouillage, Pascalet, conseilla Gatzo.

Vers le soir, on appareilla discrètement.

D'abord nous fîmes dans l'îlot une escale brève.

On y embarqua un fagot de bois sec et notre feu, qu'on déposa religieusement dans un pot de terre. Le pot fut placé sous un banc, dans le fond de la barque.

Après quoi, ayant salué notre ancienne demeure, nous quittâmes sa plage bien abritée.

On prit un canal. Peu à peu ses deux rives se rapprochèrent ; il devint un de ces tunnels de feuillage mystérieux qui se perdaient à travers l'archipel des îles, parmi les saules et les calmes oseraies. Nous froissions, en passant, les cannes feuillues des roseaux, et ce frémissement troublait des nids cachés : pluviers et sarcelles sensibles, qui se plaignaient de nous, au ras de l'eau. A mesure qu'on avançait, le tunnel devenait sombre. Mais tout au bout luisait une tache de clarté. Nous gouvernions avec lenteur. On se taisait. Les feuilles quelquefois nous frôlaient le visage et des insectes irascibles s'en échappaient en tourbillons tout autour de nos joues. Enfin, on déboucha sur un autre plan d'eau, entièrement fermé par des murailles de roseaux et d'arbres.

Ce petit lac dormait. La lumière du soir illuminait à peine l'étendue de ses eaux désertes. De larges peupliers l'enveloppaient. Serrés étroitement l'un contre l'autre, leur feuillage dressait, à contre-jour, une haie sombre. Les uns s'élevaient presque au ras de l'eau sur de faibles lagunes. D'autres barraient l'horizon tendre où une clarté cristalline éclairait encore le ciel. Le rivage était rocheux. Du haut de sa falaise un bois épais de chênes verts

descendu des collines assombrissait les eaux. Ces eaux, partout pures et planes, n'émettaient plus qu'une lueur. Au milieu du lac reposait une île.

On y voyait une petite chapelle. Toute l'île était plantée de grands cyprès. Ils semblaient très vieux. La barque, encore sur son erre, glissait sans rider l'eau ; et l'île s'avançait vers nous, calme, fantomale. C'était, au jour tombant, une forme irréelle, la demeure improbable du silence. Car il n'en venait pas un bruit. Sur toute l'étendue lacustre, les plantes, les arbres, les eaux, merveilleusement se taisaient.

La barque à bout d'élan finit par s'arrêter entre l'île et le rivage. On mouilla au point mort. Le site et le silence nous intimidaient. Nous étions tellement émus que, pendant tout notre repas, nous n'osâmes pas dire une parole.

Je dormis mal. Car la nuit fut hantée. Sous le silence de ces lieux étranges, à force de se taire, on finissait par percevoir comme la vibration sourde d'une vie indéfinissable : des bruits vagues ou des soupirs, plus loin, un murmure, peut-être un pas hésitant sur la grève, le souffle d'un être invisible et, sous le miroir des eaux calmes, le mouvement mystérieux des eaux secrètes...

Quelqu'un vint sur le rivage. Il était peut-être minuit. Gatzo l'entendit, comme moi, très distinctement, du côté de la falaise...

Le lendemain, nous visitâmes l'île.

Un chemin moussu conduisait à la chapelle. On y accédait par un porche bas. La bise et les pluies de l'hiver avaient usé la façade de pierre tendre. Elle offrait un très vieux visage, roussi par les lichens et le long travail du soleil.

Au-dessus de la porte, on avait creusé une niche où se tenait une petite Vierge de plâtre colorié. Les couleurs en étaient parties. On devinait un peu de rose sur la robe. Une inscription en lettres bleues entourait cette modeste image.

Elle disait le nom de la chapelle, un beau nom :

Notre-Dame-des-Eaux-Dormantes.

Le sanctuaire était pauvre et semblait abandonné. Sur l'autel, de bois peint, on voyait deux petits chandeliers de plomb. Une croix en roseaux se dressait sur le tabernacle. Contre les murs, badigeonnés de chaux, restait encore suspendue une guirlande desséchée de joncs et d'osier rouge. L'air sentait l'humidité.

Nous sortîmes de la chapelle, pour en faire le tour. Gatzo découvrit, par-derrière, deux tombes enfouies dans l'herbe haute où poussaient quelques fleurs de véronique.

Les cyprès enserraient étroitement la chapelle et les deux tombes.

Les eaux baignaient les antiques racines de ces arbres, tant l'île était petite ; et leurs formes sévères, en s'y reflétant, les assombrissaient.

Après l'île, nous explorâmes la falaise et le bois de chênes verts, mais sans oser pousser dans l'arrière-pays. La lande y finissait. Remontant une pente rocailleuse, des halliers de genêts, de cystes, de houx épineux, s'élevaient vers le dos mamelonné d'une colline où s'avançait une forêt de pins.

Pas une âme. Pas une maison. Dans le ciel, un épervier. Il planait, pur.

Je dis :

— Ce pays est triste, Gatzo.

Gatzo me dit :

— Tu as raison. Ça n'est pas un pays comme les autres. Il y a des âmes...

Etonné, je lui demandai :

— Qui te l'a dit ?

Il murmura :

— Tu as bien entendu, comme moi, cette nuit ? Ça remuait... Il en est venu une...

Je lui dis :

— Ça c'est vrai, j'ai entendu. Et tu sais ce que c'est, une âme ?

— Non, Pascalet. Mais on peut voir. En se cachant... Cette nuit, elle reviendra probablement.

Mon cœur battait.

Gatzo continua :

— Vers dix heures, la lune tombe. Il fait noir. Il y a un grand trou au pied de la falaise. On s'y embusquera.

J'avais peur. Il le devina tout de suite :

— Pascalet, me dit-il, il faut voir ça. On est des hommes.

Comme je me taisais, il ajouta :

— On ne navigue pas pour rien... Reste si tu veux... J'irai seul.

J'avais honte ; mais ma peur devenait si forte que je répondis à Gatzo :

— Ce que tu fais est défendu ; on est puni.

Il haussa les épaules ; et jusqu'à la disparition de la lune, il se tut.

Alors, il se déshabilla, mit ses vêtements sur sa tête, glissa dans l'eau, nagea vers la falaise. Je le vis qui bougeait sur le rivage. Il se rhabillait sans doute. Puis il disparut.

La barque reposait tout près de l'île. Du rivage, on ne pouvait pas l'apercevoir. L'ombre des arbres la couvrait.

Je m'étais installé au banc de proue. De là

je pouvais commodément surveiller le rivage.

Rien n'y bougeait.

L'attente fut longue, mais je n'avais pas envie de dormir. Je voulais, moi aussi, même de loin, voir quelque chose.

L'âme se manifesta vers minuit.

Elle marcha le long du rivage, écarta un buisson et descendit sur la grève. Elle m'y apparut, comme une petite blancheur. Cette blancheur erra un moment, puis s'approcha de l'eau.

C'est alors que je perdis la tête. Je détachai la barque du mouillage, et tout doucement à la perche, je la poussai. Elle m'obéit et se mit à glisser sur l'eau noire. « Il fait si nuit, pensai-je, que l'âme ne me verra pas. C'est impossible. Moi, si je l'aperçois c'est qu'elle est blanche... » Malgré cette blancheur, je n'arrivais pas à la distinguer. Avait-elle une forme ? J'avançais cependant vers elle ; mais, immobile sur la grève, elle n'était toujours qu'une tache dans l'ombre. Au milieu de cette même ombre, sans doute ne me voyait-elle pas lentement arriver. Soudain elle poussa un léger cri : je venais de surgir près du rivage.

Je l'entendis qui s'écriait : « O mon Dieu ! C'est une âme ! » Je fus très étonné d'être pris pour une âme ; aussi retrouvant mon sang-froid, je demandai :

— Et toi, comment t'appelles-tu ?

L'âme s'enfuit, mais Gatzo, bondissant hors de son trou, la saisit au vol.

— Je la tiens, me dit-il. C'est une fille ! Ça par exemple !

La barque arrivait sur la grève. Je rejoignis Gatzo.

Il tenait la fille par les poignets. Elle ne se débattait pas. Elle paraissait de notre âge, mais on la voyait mal.

— Que faisais-tu là ? Qui es-tu ? Où est ta maison ?

Gatzo l'accablait de demandes. Elle se taisait, mais ne semblait pas avoir peur de nous.

— On ne te fera pas de mal, lui annonça Gatzo, d'un ton radouci.

Et il lui lâcha les poignets. Alors elle nous dit :

— Je vous connais. C'est vous qui êtes arrivés sur le bras mort, il y a un peu plus d'une semaine. On vous cherche dans tous les villages...

Je fus glacé d'effroi. Mais Gatzo, calme, demanda :

— Vrai ? On nous cherche ? Et qui ?

— Chez nous, à Pierrouré, c'est le garde champêtre...

— Et comment il nous cherche, dis ?

— Il roule du tambour, le matin à onze heures, et il fait une annonce sur place. Après ça, il rentre chez lui. Ça dure depuis quatre jours... Tout le monde est au courant.

— Alors nous pouvons dormir tranquilles. Toi, tu ne diras rien ?

— Moi, je ne dirai rien, répondit la fillette. Mais il y en a un autre qui vous cherche, aussi. Et celui-là est bien capable de vous trouver.

Cette fois, Gatzo s'inquiéta :

— Comment est-il ?

— Un grand sec, la peau noire. Il est venu par la rivière sur un vieux bout de barque.

Je pensai avec terreur :

— C'est Bargabot. Nous sommes pris !

La fillette continua :

— Il est là depuis hier soir. On l'a vu arriver en même temps que les pantins.

— Quels pantins ? demanda Gatzo.

Sa voix tremblait.

— Le petit théâtre. Demain il va jouer sous l'orme. Il passe tous les ans. Il joue, la nuit, après le dîner. C'est toujours le même qui vient. L'an dernier les gens étaient deux. Cette année il n'y a qu'un vieux, tout seul...

Elle se tut. Gatzo, lui aussi, se taisait.

Soudain elle dit :

— Il faut que je rentre.

Nous la reconduisîmes jusqu'au bois. Elle nous précédait. Ses yeux perçaient la nuit aussi bien que ceux de Gatzo. A l'orée du bois, on se fit des adieux.

Sous les arbres l'obscurité était si noire que Gatzo s'étonna, lui-même, que la petite n'eût pas peur.

— Pourquoi viens-tu, la nuit, au bord de l'eau ? demanda-t-il.

Comme elle se taisait, Gatzo l'interrogea encore, en insistant avec douceur. Il avait une voix si tendre qu'à la fin elle parla.

... Ses parents étaient morts. On l'avait recueillie toute petite. Elle servait chez de bonnes gens, grand-père Saturnin, grand-mère Saturnine. Eux, ils n'avaient qu'un petit-fils, Constantin, âgé de douze ans. Un beau jour, tous les trois étaient partis pour faire un long voyage. Ils l'avaient laissée seule à la maison, avec une vieille servante qui grondait toujours. On disait qu'ils vivaient très loin, dans un pays triste. Dieu seul savait pourquoi. Et là-bas, naturellement ils étaient, eux aussi, devenus tristes. Mais ils n'osaient plus retourner dans leur maison. Alors en cachette, la nuit, elle venait prier Notre-Dame-des-Eaux de les ramener au village, où tout le monde les regrettait...

Cette histoire nous troubla beaucoup. La petite, en la racontant, se troubla elle-même. A la fin, elle pleurait.

deux petits hommes,
lentement
pêchaient à l'épervier

de petits
écureuils roux
nullement effrayés,
m'observaient du haut
de leur branche

feuille
de chêne
pubescent

le ramier bleu

C'est l'âne enchanté
du pays
nous dit Hyacinthe

Gatzo, ému, lui demanda :

— Comment t'appelles-tu, petite ?

Elle répondit :

— Hyacinthe.

Et continua à pleurer.

A ce moment, on entendit un pas dans la forêt de pins. Un drôle de pas, un pas d'animal.

Effrayé, je dis :

— C'est la bête ! Le Racal !

La petite dit :

— Pas du tout. C'est mon âne. Il vient me chercher.

On vit une ombre. La bête sortit des ténèbres.

La petite l'appela : « Approche, Culotte, mon beau. Bien doucement. Il ne faut pas leur faire peur, cette fois-ci... »

L'âne vint. Il était dressé d'une merveilleuse manière. (Culotte était son nom.)

— C'est l'âne enchanté du pays, nous dit Hyacinthe.

Peut-être riait-elle.

Tout à coup elle devint triste.

— Demain, je ne reviendrai pas. Je veux voir le petit théâtre. Il jouera pour les enfants, sur la place du village. Il y a de la lune, toutes les nuits...

Gatzo et moi, nous nous taisions.

Alors elle enfourcha son âne, et tous deux s'enfoncèrent dans le bois le plus naturellement du monde[1].

Le lendemain, la journée traîna en longueur. On flâna sans plaisir. Les jours précédents, tout nous occupait : un oiseau, une mouche, une grenouille, un papillon. Maintenant, sans raison, nous étions désœuvrés. Gatzo se tenait à l'écart. Il me répondait à peine. De nouveau, il avait ce visage fermé que je n'aimais pas. Son air absent nous séparait. Je me sentais seul. Le cœur gros, je gardais le silence.

Vers la fin de l'après-midi, je n'y tins plus. La barque était alors mouillée sous la falaise. Je sautai à terre et partis en promenade...

Sous les chênes il faisait très chaud, mais la lumière y était belle et de petits écureuils roux, nullement effrayés, m'observaient du haut de leur branche avec une extraordinaire attention.

Leur amitié me donna du plaisir et, insouciant comme on l'est à cet âge, j'oubliai mon chagrin en marchant dans le bois, où familièrement circulaient d'arbre en arbre des ramiers bleus et des loriots d'or aux ailes noires.

1. Si vous voulez mieux connaître Hyacinthe, lisez *L'Ane Culotte* (Gallimard).

le chêne vert et sa feuille

Plus haut, dans le feuillage, d'autres oiseaux chantaient. Comme le bois grimpait vers de hautes collines, je dominai bientôt une bonne étendue de ce pays. Alors je m'arrêtai et m'assis sur une pierre.

Vers le couchant, mais assez loin, la rivière reparaissait, toute luisante. Sur un grand bateau plat, deux petits hommes lentement pêchaient à l'épervier. A ma gauche, les chênes verts et de grandes pinèdes escaladaient les contreforts des premières collines. Le soir tombant, il se creusait, dans ces collines, des vallonnements bleus et des ravines mauves, cependant que les mamelons restaient ensoleillés.

Dépassant un épaulement, on apercevait un bout de village : cinq ou six maisons, une tour, un petit clocher. Derrière le clocher, trois ou quatre fumées montaient dans l'air. Là devait

le Loriot

se cacher le plus gros de ce bourg. On voyait,
à mi-côte des collines, le sentier qui y menait.
La campagne était déserte ; mais un âne mar-
chait sur le sentier. Un âne tout seul, sans
ânier. Il n'en suivait pas moins, exactement, le
tracé de la sente. Il portait deux couffins, et
avançait, à petits pas, d'un air parfaitement
sensé, dans ma direction.

« Ah ! me dis-je, soudain illuminé, c'est
l'âne de Hyacinthe. Je vais le voir... »

J'attendis, le cœur battant. Mais l'âne tout
à coup prit sur la droite et il disparut dans une
pinède.

Presque aussitôt le soir commença à tomber. Je ne m'en aperçus pas tout d'abord.

Quand je revins à moi il faisait déjà assez
sombre et je retournai en hâte au mouillage.

La barque était toujours là, mais Gatzo
avait disparu.

Le montreur d'âmes

Pour toujours.

J'en eus aussitôt le sentiment net ; mais je ne voulais pas y croire. C'est pourquoi j'attendis.

« Il va venir, me disais-je, sans grande confiance. Il a dû aller fureter près d'un trou à lapin ; j'ai eu tort de le laisser seul. Il s'est ennuyé. » Mais comme il ne revenait pas, peu à peu je perdais ma foi en son retour. Pour me consoler je redoublais d'espérance. Cela d'ailleurs ne me servait de rien, car je savais bien qu'il était parti...

Tout me disait que j'étais seul : les bêtes et leur cri, les eaux et leur silence... Tout. La petite grenouille triste qui coassait à la pointe d'une lagune dans sa touffe de cresson. Elle aussi était seule. Et la hulotte à grosse tête qui se cachait dans le feuillage d'un énorme peuplier sur l'autre rive. Elle se plaignait régulièrement à une hulotte plus proche qui habitait dans un cyprès juste au milieu de l'île. Cette habitante du cyprès répondait avec patience et beaucoup de mélancolie à sa douloureuse compagne ; et la conversation lugubre des oiseaux traversait tristement les étangs solitaires. Si nul bruit venu de leurs eaux, parfaitement paisibles, n'assombrissait mon cœur, c'est que les étangs me parlaient par leur silence. Ils se taisaient : ainsi je comprenais ma solitude.

Peut-être avais-je peur, mais je pense que le chagrin d'avoir été abandonné étouffait en moi cette peur. Il ne m'en restait que des craintes. Je n'appréhendais que des périls vagues : les bruits, une ombre, un rien qui souffle...

Au moment où la lune se leva, ma tristesse devint plus grande. A sa clarté, quand je vis l'étendue déserte des étangs, je découvris l'immensité de ma solitude. J'étais si seul qu'en moi doucement j'appelais Gatzo ; mais pas un son ne sortit de ma bouche, tant je craignais, dans ce silence et ce désert lacustre, que le bruit de ma voix ne retentît...

« Il est au village, pensais-je, mais comment a-t-il pu s'en aller sans moi ? »

Car d'être seul dans la nuit en ces lieux sauvages m'éprouvait moins que de penser à la trahison de Gatzo. Il avait brisé, en partant, l'amitié la plus belle de ma vie. J'en souffrais beaucoup. Car jamais je ne retrouverais un compagnon pareil ; un compagnon plus fort, plus courageux, plus habile que moi. Et c'était mon premier ami.

Un obscur pressentiment me donnait sourdement à craindre qu'il ne revînt pas. Aussi, mû par le désespoir, je résolus de quitter ce mouillage triste, où j'étais si seul, pour aller à sa recherche.

Je supposais qu'il se trouvait dans ce village dont j'avais aperçu quelques maisons, au coucher du soleil.

Je me rappelais le sentier où j'avais vu trotiner l'âne. Il me paraissait facile de l'atteindre, en traversant les chênes. Je me dirigeai donc d'abord vers ce bois dont la lisière était illuminée par la pleine lune.

Elle m'aida beaucoup cette nuit-là : sa clarté éclaira ma route et sa grande douceur m'apaisa un peu, par enchantement. Car la lune enchante les âmes bien mieux que toute autre planète. Sa lumière est si près de nous ! On la sent attentive, affectueuse et, aux lunaisons de printemps, son amitié devient si tendre que toute la campagne s'attendrit. Alors il n'y a pas, pour les enfants qui s'éveillent la nuit, de plus charmante conseillère. Par la fenêtre ouverte elle éclaire leur chambre et, quand ils se rendorment, elle fournit à leur sommeil les plus beaux songes.

Et c'est l'un de ces songes que je fis, sans doute.

Certes, je n'étais pas endormi dans ma chambre ; mais comment tout ce que j'ai fait, cette nuit-là, ce que j'ai vu, ce que j'ai cru entendre, eût-il pu se passer aussi facilement, si je ne l'avais pas rencontré dans un rêve ?

Le bois de chênes tout entier baignait dans la clarté lunaire. A travers les feuillages noirs, elle descendait en colonnes bleuâtres. Les vieux arbres trempaient de toutes leurs branches dans ce bleu astral. Quand moi-même j'entrais, sortant de l'ombre, dans un de ces blocs de clarté, je devenais subitement un petit corps pétri de lumière et de lune.

Je franchis le bois sans encombre, et aussitôt vint le sentier. Je ne le cherchai pas, il arriva lui-même, naturellement inondé de lune. Et il fut aussitôt si familier que je m'abandonnai à sa prévenante douceur. C'était un beau sentier de nuit, un de ces sentiers qui vous accompagnent, avec lesquels on peut parler, et qui vous font, tout le long du chemin, un tas de petites confidences. On y marche sans crainte, avec légèreté. Comme ils ont conservé une grande innocence, ils ne sauraient vous fourvoyer. Sur eux, le temps ne compte plus et l'espace se fond amicalement dans le plaisir nocturne de la marche. On ne sait jamais d'où l'on vient ni où l'on va, quand on est parti, à quelle heure on arrive ; et d'ailleurs arrive-t-on ? Ces sentiers n'aboutissent pas, ou, si par hasard, ils vous quittent, c'est pour vous laisser doucement dans un pays plus merveilleux encore...

Je le sais bien, moi qui vous parle, puisque mon sentier m'y laissa.

Il semblait qu'on l'eût mis sur le flanc des collines uniquement pour me conduire dans le village le plus singulier du monde. Et encore était-ce du monde ?... A peine pouvait-on le croire, tant tout y paraissait improbable, irréel ; et plusieurs fois, au cours de cette nuit étrange, je crus, dans ma tête naïve, que c'était

là un lieu de féeries innocentes créé pour le plaisir des enfants rêveurs et fantasques, juste sur les confins du paradis...

J'entrai dans le village par le haut. Les ruelles étaient désertes, les maisons paraissaient inhabitées. Et cependant, elles sentaient encore le pain chaud et la soupe d'épeautre. Evidemment, les gens venaient à peine d'en partir. Et maintenant ni bruit, ni lampe...

Les chiens eux-mêmes, si hargneux sur les lisières des villages, s'en étaient allés avec leurs maîtres. Les poules dormaient. Pas un chat. Ils avaient émigré ailleurs.

Je suivis la ruelle en pente et, allant ainsi au hasard, de maison en maison, toujours dans le silence, soudain je débouchai sur une petite place.

Alors tout le mystère m'apparut.

Le village était là, le village tout entier, hommes et bêtes. Et il semblait attendre.

Il semblait attendre avec confiance. C'était un village patient et de bonne foi. Cela sautait aux yeux, rien qu'à voir la tête des gens. Elles étaient sensées et pacifiques et il y en avait plusieurs rangs.

Le premier se tenait assis, gravement sur un banc de bois. Au milieu trônait le maire.

Le maire avait la face glabre et les cheveux

raides et blancs. Il s'était endimanché. Un énorme faux col amidonné sortait de sa jaquette puce, et probablement le gênait beaucoup, car il n'osait pas tourner la tête. Aussi regardait-il droit devant lui avec une extrême patience, ce qui, en tant que maire, lui donnait une grande dignité.

Devant son immobilité, les autres, par respect, restaient immobiles. A sa droite, d'abord, le vieux curé. Par habitude, il croisait les mains sur son ventre, et sa grosse figure rouge avait pris pour la circonstance un air de bienveillance et de résignation.

A côté de lui, le notaire, petit vieux, maigre comme un clou, à la bouche railleuse, se grattait le bout du nez. Il l'avait pointu.

Le médecin ventru, en veste d'alpaga, coiffé d'un canotier de paille, essuyait son binocle d'or avec un mouchoir à carreaux, pour mieux y voir. C'était, lui aussi, un homme d'âge, le visage barbu et coupcrosé.

Immédiatement à la gauche du maire, le garde champêtre sommeillait. Il semblait plus vieux que le monde, mais il portait barbiche militaire, et un galon d'argent entourait son képi.

Près de lui, un vieillard à la large carrure orgueilleusement se carrait. Sur sa poitrine il étalait en un vaste éventail sa barbe blanche.

De temps à autre, il levait un grand nez charnu, pour humer l'air ; et, dans son vieux visage boucané, ses yeux verts restaient immobiles.

C'était l'ancien Navigateur, la gloire du village.

Sous son épaule, se cachait, boulot, moustachu et rageur, le petit buraliste. Sexagénaire et retraité, il était le seul de la file qui n'eût pas toujours de bons sentiments.

Tel était le banc des notables.

Derrière se groupaient les villageois.

D'abord les femmes, sur trois rangs : à droite, toutes les grands-mères, et, au centre, toutes les femmes mariées. Les jeunes filles se serraient à gauche et ne cessaient pas de rire ou de chuchoter.

Derrière les femmes, les hommes. Debout sur quatre rangs. Il y en avait de longs et de larges, de moustachus et de rasés. Mais la même expression de calme et de puissante simplicité modelait leurs visages.

Tous regardaient dans la même direction.

Ils regardaient un orme colossal dont le feuillage, tel un dôme, s'étalait sur toute la place.

Aux branches les plus basses on avait suspendu une multitude de petits lampions et de grandes lanternes vénitiennes multicolores.

et l'ormeau et sa feuille

Sous l'ormeau se dressait un modeste théâtre de toile. Et, de chaque côté de ce théâtre, en avant des notables, bien en vue, on avait aligné les enfants, sur les bancs de l'école. Les garçons à droite, les filles à gauche. Et là, ils attendaient, aussi sagement que les grandes personnes.

Pour lors le rideau du petit théâtre était baissé. Mais on pouvait y admirer une peinture. Elle représentait un âne. Cet âne était assis dans un fauteuil. Il avait des lunettes et il tenait un livre. Devant lui, à genoux, un petit garçon écoutait. L'âne lui faisait la leçon. Par-dessus l'âne et l'enfant, souriait, avec indulgence et malice, un masque couronné de lierre, qui tenait les yeux baissés.

Derrière le théâtre, il y avait l'église : un porche profond et plein d'ombre.

119

Et, par-dessus l'église, l'ombre, le théâtre, les villageois, les lanternes et l'orme immense, flottait le grand ciel de la lune d'avril, tout électrisé.

Je ne sais ce qui se passa d'abord, réellement. Car j'étais trop ravi pour comprendre, et peut-être un spectacle aussi merveilleux n'avait-il été composé que pour charmer les yeux et les oreilles...

On entendit d'abord, derrière le théâtre, une voix qui chevrotait, mais elle était prenante et nourrie de sagesse. Tout de suite j'en fus touché au fond du cœur. Cette voix annonçait ce qui se préparait derrière le rideau ; elle disait le nom des personnages et nous demandait de les croire, car ils allaient, pour nous, rire, pleurer, haïr, aimer, c'est-à-dire vivre et mourir comme des hommes...

Après cette courte harangue, le rideau se leva sur un jardin et son jardinier. Dans ce jardin poussaient des fruits énormes ; et le jardinier en était très fier, si fier qu'il regardait avec mépris tous les autres jardiniers. Il avait une jeune femme et un fils beau comme le jour. On les voyait tous deux qui couraient sous les arbres pour attraper de grands papillons bleus. Le jardinier était fier de sa femme et de son fils presque autant que de ses melons et de ses prunes. C'est pourquoi il leur défen-

le village

dait de fréquenter les petits jardiniers du voisinage ; et ils obéissaient.

Or, voilà qu'un beau jour passe un mendiant, très fatigué, un vieux mendiant accablé par la faim et par la soif. Une pêche pendait sur le chemin, par-dessus la haie de l'enclos. Le mendiant la cueille et s'apprête à la manger. Soudain, l'orgueilleux jardinier apparaît, rouge de colère et, se jetant sur le mendiant, ce pauvre ! il lui fait lâcher le fruit d'un coup de bâton. Le fruit tombe sur le chemin et le mendiant s'en va, résigné, sans se plaindre.

Or, sachez que c'était saint Théotime qui voyageait, en ce temps-là, pour ses affaires, c'est-à-dire pour celles du Bon Dieu.

Et, le décor ayant changé, le Bon Dieu lui-même arrivait sur un nuage. Il manifestait aussitôt la plus vive irritation, et il parlait du jardinier en termes tels que toute l'assistance en frémissait de peur, particulièrement les filles. Après quoi, il s'en allait à son tour, grondant de menaces, et un roulement de tambour, derrière le théâtre, imitait le tonnerre. Le Bon Dieu, irrité, allait venger son Saint.

On revenait alors au jardin de la terre. L'enfant jouait. On le voyait courir sans méfiance ; et cependant, juste sous le pêcher de Théotime, une vieille sorcière le guettait avec des yeux de braise. Elle avait ramassé le fruit sur le chemin.

Ah ! quel beau fruit ! Je le vois encore. L'ayant léché, la sorcière le pose, rose tendre, au pied de l'arbre.

L'enfant passe, le voit, le mange et tombe évanoui. La sorcière tombe sur lui et l'emporte dans les airs.

Des années passent. On voit un camp de Bohémiens. C'est là que vit l'enfant. Il a beaucoup grandi, mais il a perdu toute sa mémoire. Car la sorcière avait empoisonné le fruit. En y mordant il y avait laissé tous ses souvenirs. Aussi n'a-t-il plus un bon sentiment. C'est maintenant le pire garnement de la tribu : il ment, il jure, il triche, il vole, comme l'on respire, et pour un rien, il met la main à son couteau. Tout le monde le craint.

Et ses parents ?

Il les a oubliés depuis longtemps puisqu'il a perdu la mémoire. Mais eux se souviennent toujours. Et ils sont très malheureux. Les fruits ont beau pousser, aussi gros que jadis, à profusion, sur tous les arbres, le jardinier ne pense même plus à les cueillir. Il a vieilli. Songez qu'il pleure du soir au matin, en cachette de sa femme.

Son chagrin lui a fait des cheveux blancs ;

et il n'a plus, dans sa poitrine, une once d'orgueil.

Lui et sa femme espèrent toujours.

« Le petit reviendra », se disent-ils. Et ils l'attendent.

Aussi la porte est-elle ouverte, nuit et jour, pour qu'il puisse rentrer dans la maison, sans les appeler.

Mais voilà-t-il pas qu'une nuit les Bohémiens arrivent. Ils se cachent dans les bois.

Or, le soir même, un vieux mendiant est venu demander l'aumône. Il avait faim, il avait soif. Le jardinier s'est souvenu. Il lui a donné un panier de pêches. Le mendiant n'a pris qu'une pêche et a mordu dedans sans la manger. Puis il a dit au jardinier : « Garde-la bien soigneusement au chevet de ton lit, et prends patience. Un jour quelqu'un la mangera. » Après quoi il disparut. C'était saint Théotime.

Les Bohémiens, cachés dans le bois ténébreux, ont vu le jardin admirable. Et tous en chœur ils se sont dit : « Le jardinier est riche. On va le voler. » Le sort a désigné l'enfant habile au vol.

La lune s'en va, la nuit tombe, la chouette ulule, et l'enfant se faufile dans l'enclos. Il atteint la maison, trouve la porte et, à tâtons, il cherche la serrure. Mais ses mains ne rencontrent que le vide... Cette étrange maison, sans souci des voleurs, repose, en pleine nuit, la porte grande ouverte...

Le mauvais garnement hésite, tremble...

Il avance cependant, par amour-propre ; mais il a chaud, sa gorge brûle, il meurt de soif. Soudain, il découvre une chambre. Un vieil homme y dort sur le dos. Une veilleuse éclaire sa figure. Et près de lui, à son chevet, sur une assiette peinte, il y a une pêche, juteuse à point, où deux dents, semble-t-il, ont à peine mordu.

L'enfant voleur tend sa main vers le fruit et le porte à sa bouche. Quel goût ! Quelle douceur ! Mais ce n'est pas un fruit ! Cela vous emplit tout le corps, cela vous tire toute l'âme ! Où suis-je ?... Il crie !...

Le bon vieux s'éveille. Sa femme accourt...

Ah ! c'est leur fils. Il est là, il les voit, il les reconnaît, il sanglote.

Le Bon Dieu apparaît dans son nuage et hoche la tête de satisfaction.

Le rideau tombe.

En ce temps-là, dans nos villages, les gens avaient encore l'esprit simple et, quand ils prenaient du plaisir, ils le prenaient bien. Cette simplicité d'esprit leur permettait de comprendre tout de suite le sens profond des

125

le clocher du village

contes ; et, s'ils étaient ravis de leur naïveté, c'est qu'elle s'accordait à leur propre sagesse. Réduite à quelques pensées claires, cette sagesse peut nous sembler courte ; et cependant elle est le trésor épuré d'une antique expérience.

Ce vrai savoir, s'il vit réellement, n'est pas morose. Il appelle souvent et inspire la fantaisie des hommes. Alors il devient, comme dans ce conte, un divertissement, et ce qu'il enseigne est si beau que la sagesse nous enchante.

Visiblement, cette nuit-là, elle enchanta toutes les têtes du village. Durant toute la représentation, le maire resta bouche bée. Le curé, lui, bayait aux anges et, quand le Bon Dieu apparut, il se signa. Le notaire et le médecin se déclarèrent satisfaits. Le Navigateur, quatre fois, faillit se lever de colère pour aller étrangler la sorcière exécrable et les perfides Bohémiens. On eut quelque peine à le retenir. Les villageois par rangs entiers manifestèrent de puissantes émotions. Il y eut des ho ! et des ha ! qui grondèrent en sourdine et ils trahissaient la colère, l'indignation ou la pitié. Les enfants, eux, ne disaient rien, mais ils écarquillaient étrangement les yeux. Le drame les hypnotisait. Un magicien les avait pris dans son filet de charmes. Ils ne regardaient plus, car ils étaient passés de l'assistance sur la scène, où ils étaient non plus eux-mêmes, mais les êtres qu'ils y voyaient. On ne leur jouait plus la pièce, c'étaient eux qui, merveilleusement, se la jouaient entre eux. Alignés sur leurs bancs on les voyait parfois tous soupirer ensemble, et leurs petits visages passionnés, serrés l'un contre l'autre, s'immobilisaient dans l'extase.

L'un surtout, un visage de fillette. Il avait les pommettes roses, la bouche bien large et les yeux très verts. Les cheveux étaient roux et bien tirés. Il en sortait une petite couette qui se tenait raide sur la nuque. Evidemment c'était Hyacinthe. Rien qu'à l'air de ravissement et de terreur qui pétrifiait ce visage, on le devinait. Car aucun autre enfant n'était saisi, comme elle, par le jeu de la scène, où elle avait posé toute son âme.

Le rideau tombé, il se fit un grand silence. Puis la même voix chevrotante parla derrière le théâtre.

« Bonnes gens, disait-elle, c'est fini. Maintenant, mon chien Piquedou, la sébile aux dents, va passer ; et il fera la quête. Traitez-le amicalement. C'est mon seul compagnon de route. Car mes enfants ne sont plus de ce monde et, comme dans la fable, j'avais un petit-fils, mais les Bohémiens l'ont volé. Voilà cinquante ans que je fais danser les marionnettes dans vos campagnes. Après moi, plus personne ne viendra vous les montrer. C'est la dernière fois que vous les voyez, mes amis. Car je me fais très vieux et désormais je ne viendrai plus dans le village. Ce soir, je vous dis donc adieu. Et maintenant, donnez un petit sou pour le théâtre, quand le chien passera... »

Alors le village pleura. Les femmes se mouchèrent, les hommes essuyèrent leurs yeux et le maire éternua. Puis les filles toutes ensemble élevèrent la voix et dirent :

« Grand-Père Savinien, montrez-vous encore une fois... »

Leur voix était douce et chantait tellement que l'on vit Grand-Père Savinien sortir de dessous le théâtre.

Le rideau bougea, la tête apparut. Elle était longue et chauve ; mais autour du crâne poli, une couronne de beaux cheveux blancs descendait, se mêlant à la barbe de fleuve du vieillard, qui coulait comme de la neige. Les yeux étaient clairs et candides, et quand le vieux se releva péniblement, trois cents visages s'attendrirent.

Il portait une vieille redingote et, autour du cou, un foulard. On le sentait très pauvre et très patient.

Si pauvre et si patient, qu'à le voir surgir de son trou, avec tant de simplicité et de courtoisie complaisante, saisi de respect, le village se tut. Pourtant il ne souriait pas, il ne cherchait pas à plaire ; mais il portait, sans le savoir, naturellement, sur son vieux visage, un signe pur.

Quand il fut tout à fait debout, on entendit quelqu'un qui sanglotait en l'air, dans le feuillage.

Cela venait des branches basses de l'ormeau. Toutes les têtes se levèrent. Alors on découvrit Gatzo. Il pleurait, à cheval sur une branche. Il pleurait avec une sorte de fureur contre lui-même. Il avait honte de pleurer sur ces trois cents têtes sensées, ébahies de le voir là-haut ruisselant de larmes. Mais il pleurait, quoi qu'il en eût ; et d'en bas, son grand-père Savinien, pétrifié par l'émotion, le regardait d'un air inexpressif, tant il lui paraissait inexplicable que l'enfant perdu lui tombât du ciel.

— Descends, petit, criaient les femmes. On te donnera du vin cuit.

Le grand-père ne disait rien ; l'émotion lui avait coupé la parole. Il regardait toujours son petit-fils, dont les jambes pendaient au milieu du feuillage. Et Gatzo, du haut de son arbre, le regardait aussi, tout en pleurant.

Au pied de l'arbre, les notables : le maire, le curé, le notaire, le médecin, formaient le cercle et ils souriaient à l'enfant pour l'encourager à descendre. Ce qu'il fit.

— Doucement, lui disaient les grands-mères prudentes, ne te casse rien, petit fou.

Et les hommes hochant la tête félicitaient Grand-Père Savinien.

— Regardez, disaient-ils, comme il s'y prend bien. L'écureuil n'est pas plus léger.

Lorsque, glissant le long du tronc, Gatzo tomba devant le maire, tout le monde fit : « Ouf ! » de soulagement.

Or, ce maire était bon : il s'appelait Mathieu Varille. On n'a jamais vu pareil maire dans le pays. C'est pourquoi nul ne s'étonna quand, se retournant vers la foule, il lui annonça fraternellement :

— C'est moi qui offre le vin cuit.

Un murmure de satisfaction s'éleva de ces trois cents âmes.

Et le maire continua :

— En route, mes enfants ! Et par ordre de marche : les petits d'abord, puis les filles, et,

Un habitant
du village

après les filles, les femmes et, pour finir, tous les électeurs.

Le garde champêtre, éveillé, souleva son tambour et prit la tête.

Le maire se plaça derrière lui. A sa droite, il y avait Grand-Père Savinien. A sa gauche, Gatzo, tout à fait rasséréné. Et il les tenait, chacun par la main.

Suivaient, sur un seul rang, les cinq notables : le curé, le notaire, le médecin, le navigateur et le buraliste.

Les villageois venaient ensuite. En tête les petits. Dans la première file on voyait Hyacinthe, avec ses yeux bleus et sa couette. Elle regardait devant elle, d'un air sérieux.

Les vieux fermaient la marche.

Doucement le garde champêtre de ses vieilles mains battait du tambour.

Il battait, du bout des baguettes, un air de marche guilleret, en dépit de son grand âge. Et

131

sur ce rythme sautillant, tout le monde, sans le savoir, se dandinait.

Ainsi, je les vis tous passer, la face épanouie, et les filles, qui s'étaient prises par la taille, chantonnaient de plaisir, en se balançant.

— Jamais, disaient les vieilles, on n'a vu, depuis cinquante ans, une fête pareille !

Les vieux approuvaient de la tête.

Et les jeunes riaient sans savoir pourquoi.

Quand le dernier rang fut passé, je vis le chien. Il suivait, la sébile entre les dents, avec son air de chien habitué à suivre. Il suivait, le museau sur les talons des vieux, en trottinant. Et, s'il était le dernier du cortège, il n'en semblait pas le moins satisfait.

Il passa à son tour et je restai seul.

Personne ne m'avait remarqué, pas même Gatzo. Gatzo tenait avec respect la main solennelle du maire et il paraissait pénétré de cet honneur. M'avait-il aperçu ? Peut-être ne voyait-il rien, car il était, cette nuit-là, le roi du cortège. Mais moi, qui l'avais vu et qui l'aimais, j'en avais le cœur tout gonflé de peine, et les larmes me montaient aux yeux.

De la fête, il ne restait plus que les bancs vides de l'école et le petit théâtre en toile avec son âne peint sur le rideau.

Les lampions un à un s'éteignaient dans les

branches de l'ormeau, et plus haut, dans le ciel laiteux, on devinait bien que la lune commençait à tomber vers les collines.

Je me sentais si seul, j'étais si malheureux, que je ne savais plus que faire.

Derrière le théâtre abandonné, on avait oublié d'éteindre une chandelle. Elle brûlait en tremblotant et la lueur de sa flamme invisible épandait au-dessus du léger toit une faible et mystérieuse couronne de lumière.

Elle me fascina bientôt, et j'allais m'avancer vers elle, lorsqu'un homme maigre surgit à côté du théâtre.

Il était plus haut que le toit de toile et, nonchalamment appuyé aux montants du petit édifice, il se mit à examiner très attentivement tous les coins de la place.

Il me vit. C'était Bargabot !

Mais il ne broncha pas.

Alors je pris la fuite.

Solitude
de Pascalet

Je ne sais trop comment j'atteignis le mouillage. Tant que je courus ou marchai, je n'éprouvai rien. Mais, arrivé au bord des eaux, une extraordinaire impression de silence et de solitude me saisit.

Rien ne remuait aux étangs, rien dans les airs. Les eaux semblaient de plomb. Une nappe d'humidité couvrait le paysage triste où scintillait, entre les lances des roseaux, une étoile solitaire. La lune s'en était allée visiter d'autres mondes. L'île formait, au milieu de ces eaux mélancoliques, comme une barque de ténèbres. Elle m'inspira une telle crainte que je n'osai rester sur ce rivage où le bateau était mouillé. Je le détachai et, pesant sur ma lourde perche, je me séparai de la terre ferme.

« Il vaut mieux, me disais-je vaguement,

puisque tout est fini, que la barque s'en aille à la dérive. »

Mais la barque ne dériva qu'un peu de temps. Nul courant n'atteignit, cette nuit-là, la surface de ces eaux inanimées. La barque, en s'éloignant des rives, coula dans une sorte de torpeur magique où la faible impulsion qui la poussait encore s'affaiblit et expira.

Je m'enveloppai d'une couverture et je me couchai au fond du bateau.

Dès lors, j'attendais mon destin. Je savais bien que c'était là ma dernière nuit de sommeil dans le monde des eaux dormantes. Aussi, je voulais la dormir comme j'avais dormi les autres, allongé sur le dos, dans le fond de ma barque, respirant à travers les planches l'odeur nocturne de l'eau douce, d'où je tirais, malgré la menace des songes, tant de paix, tant de repos.

Le soleil était déjà haut quand je m'éveillai. Avant même d'ouvrir les yeux, je compris que quelqu'un était avec moi dans la barque.

Je sentais passer sur ma face une odeur de café fumant, de pain chaud et de pipe joyeuse.

— Bargabot, dis-je, les yeux toujours clos, à quelle heure on appareille ?

Bargabot me dit :

— Hé, bientôt ! On boit le café et on prend le large.

Je me soulevai.

Sur la proue, Bargabot, sa longue pipe au bec, accroupi devant un fourneau (qu'il avait déniché je ne sais où), versait dans un grand bol de terre, avec précaution, du café brûlant.

— Arrive, fiston ! cria-t-il Ça réchauffe, et ça dégourdit quand on se réveille.

Et lui-même buvait d'un air content, et sur le pain il étendait ses rudes mains d'homme sauvage, habiles à la nourriture.

Le café me rendit quelque courage.

Je demandai :

— Tante Martine, Bargabot ?...

— Elle t'attend, Tante Martine.

— Elle a pleuré ?

— Elle a pleuré.

Cela me rassura beaucoup.

— Ton père, ajouta-t-il, ne rentrera que vers la fin de la semaine.

137

« Dieu soit loué ! » pensai-je.

Les choses avaient l'air de s'arranger. Je m'enhardis :

— Tu as eu peur pour moi, Bargabot ? demandai-je.

Stupéfait, Bargabot me regarda :

— Fichtre ! s'écria-t-il ; mais il ne commenta pas son exclamation.

A ses regards, à ses intonations, je sentais qu'il était, somme toute, assez content de moi.

Mais il annonça le départ, et alors seulement je m'aperçus que, pendant mon sommeil, on avait changé de mouillage.

Nous étions ancrés sur un autre point du bras mort, séparé seulement par une lagune assez plate du lit courant de la rivière. Je la voyais, à travers les joncs, qui passait, toute claire, par grandes nappes rapides.

Contre le flanc robuste de la barque, flottait un petit bachot.

Presque rien. Six planches, pas de banc, mais deux rames immenses et, comble d'arrogance, un mât.

— Embarque, me dit Bargabot. On laisse ici ta marouette ! Trop lourd pour remonter ce courant-là. Je viendrai la reprendre.

Je changeai de bord sans enthousiasme.

— Passe à l'avant, me cria-t-il.

Je dus m'asseoir à même le fond.

— Bonne brise, remarqua-t-il avec satisfaction.

Et il hissa la toile. Elle était vieille, rapiécée ; mais, gonflée de vent, tout à coup elle claqua. Alors la barque s'inclina vers l'eau qui affleura jusqu'au plat-bord, et nous appareillâmes.

Bargabot, torse nu, avait saisi les rames et vigoureusement il tirait des deux bras. L'esquif filait, au ras de l'eau, si bien que le flot quelquefois venait mouiller mes coudes. Je craignais de le voir, sous le poids de la toile, chavirer en plein courant. Mais il tenait bon. Bargabot, insouciant, affrontait, rame au poing, vent dans le dos, les puissances de la rivière. Nous coupions les tourbillons noirs et, tanguant, roulant à plein bord, nous sautions par-dessus les eaux tumultueuses. Tout respirait la joie : Bargabot, les flots aérés, la brise qui soufflait à la bonne fortune, le ciel rayé d'oiseaux et le grand poudroiement des terres riveraines, qui fumaient, attiédies déjà par le soleil, en pleine matinée, entre les eaux et les collines d'un bleu vif. J'en oubliais un peu mes peines et, enivré par l'air violent qui volait comme un fol sur la rivière, je m'abandonnais au plaisir de boire le vent.

Vers midi, on aborda la rive gauche. On y prit un repas. Bargabot tira un canard. Il avait une immense canardière. C'était une arme vénérable fonctionnant avec un silex. Lorsque partait le coup, il laissait dans les airs une longue traînée d'étincelles rougeâtres et beaucoup de fumée, qui sentait bon le salpêtre et le feu.

On passa la nuit à la belle étoile.

Le lendemain on naviga comme la veille ; mais plus près des bords, en eau calme.

Vers le soir, l'île fut en vue. Bargabot parlait peu. Il me dit cependant, en montrant l'île :

— C'est nettoyé, petit. Ils ont eu peur.

Et il caressa gentiment sa canardière. Je crois bien qu'il était content de lui.

— Il ne reste plus rien ? lui demandai-je.

Il hocha la tête, et se tut. J'eus l'impression qu'il cachait quelque chose. Mais je n'osai pas l'interroger.

On dépassa l'île, on vira, et légèrement on toucha au rivage.

On fut à la maison, comme la nuit tombait.

Nous traversâmes le jardin. Sous la treille de la terrasse il y avait une lampe allumée. Elle éclairait la table. Le couvert était mis : sur la nappe toute blanche, trois assiettes, une cruche d'eau et deux carafes de vin clair. Le pain, avec son grand couteau, reposait sur une corbeille. Il était roux. Dans la cuisine, par la porte ouverte, on apercevait le foyer, sur lequel deux poêlons et deux grosses marmites mijotaient paisiblement.

Devant le feu on voyait Tante Martine. Assise dans un vieux fauteuil, en tablier blanc, la coiffe de piqué nouée sous le menton, les mains posées sur les genoux, immobile et grave, elle surveillait le repas du soir. Sa figure brune exprimait la confiance. Elle attendait l'enfant parti. Peut-être chaque soir avait-elle allumé ce feu, préparé ce repas, mis ce couvert, suspendu cette lampe sous la treille, sans se décourager.

Et maintenant que j'étais là, elle semblait, devant cette nourriture odorante, cuite pour moi avec amour, l'âme même de la maison paternelle. Certes, j'étais alors trop jeune pour comprendre ces choses graves, mais le sentiment presque religieux qui émanait de cette vieille femme de mon sang, attentive et fidèle, me troublait le cœur.

Alors je ne pus m'empêcher d'éclater en sanglots. Elle m'entendit, et très doucement, elle m'appela :

— Pascalet, viens ici, mon beau, que je t'embrasse.

J'entrai, tout sanglotant, dans la cuisine.

Bargabot resta sur le seuil, son fusil à la main.

Je me laissai aller sur le cœur de Tante

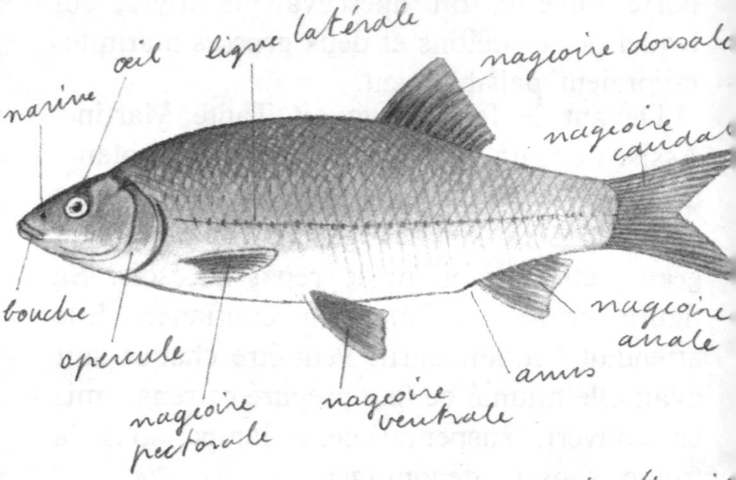

narine œil ligne latérale nageoire dorsale

nageoire caudale

bouche

opercule

nageoire pectorale

nageoire ventrale

anus

nageoire anale

, quelque chose comme un jardin liquide

l'age du poisson écrit sur ses écailles,
(zones de croissance)
carpe

1 an   2 ans   3 ans   4 ans   5 ans

disposition
des écailles

la tanche

l'ablette

l'épinoche

Martine. Elle me donnait des noms doux :
« Petoulet ! Vagant ! Courrentille ! » que
sais-je encore ? Et nous nous embrassions
avec fureur, devant le feu et les marmites,
d'où, pour me rassurer et m'attendrir davantage, s'exhalaient les vapeurs du repas qui cui-
sait, sans doute depuis le matin, couvert de
thym, bourré d'épices. Et tout en pleurant,
j'avais faim.

Nous mangeâmes au frais, bien tranquille-
ment. Après quoi, j'allai me coucher, mais
Tante Martine veilla.

Bargabot partit tard. Longtemps tous deux,
ils chuchotèrent. Ils avaient éteint la lampe, et
ils parlaient sur la terrasse.

D'en haut, par la fenêtre ouverte, j'entendais leurs voix étouffées comme un murmure.
Sans doute parlaient-ils de moi, et je m'assoupis en pensant que je pouvais dormir sans
crainte puisqu'ils protégeaient mon sommeil.

Mes parents rentrèrent une semaine plus
tard. Comme vous le pensez bien, Tante Martine garda le silence sur le fait de mon escapade. Mais elle se plaignit tout de même
beaucoup, pour se conformer aux usages fa-
miliaux. Ils voulaient qu'elle fût à plaindre,
particulièrement quand mes parents lui con-
fiaient, en leur absence, le gouvernement de la
maison. On le savait. Cela ne tirait pas à con-

séquence. Et elle le savait aussi ; mais il fallait que les rites sacrés de la plainte et du reproche fussent accomplis scrupuleusement.

Parmi les causes de désordre, j'eus ma part.

— Il a souffert tout le temps d'insomnies, affirma Tante Martine. Il lit trop. Ça l'énerve, ce petit.

— Il lit trop, en effet, approuva, crédule, mon père.

Et se tournant vers moi :

— Pascalet, il faut t'amuser. A ton âge, on s'amuse.

On me tâta le pouls. Il était agité. Et on me fit tirer la langue. Elle était blanche.

Ma mère s'inquiéta.

— Un peu d'embarras, dit mon père. Evidemment ! Il est toujours assis !...

On m'enleva mes livres, et on me donna du séné. Je le pris à contrecœur, mais il fallait bien en passer par là. Somme toute, ce n'était pas payer trop cher.

Tante Martine, pour me consoler, m'apporta des gâteaux au miel, qu'elle avait fait cuire en cachette.

Toutefois, l'administration de cette médecine purgative, bien loin de me ragaillardir, engendra, dans les régions vives de mon être, une langueur inexplicable. Car chacun voulut l'expliquer à sa façon. Pour mon père, c'était le foie. Pour ma mère, la rate ; et pour Tante Martine, le poumon. « Il respire mal, disait-elle. Ecoutez-le bien. Pascalet n'est plus qu'un soupir. » Il est vrai que je soupirais beaucoup, peut-être de langueur, peut-être d'autre chose, mais pas plus que les miens, je ne savais de quoi, tant ce malaise restait vague.

Il s'accrut cependant, mais sans se préciser.

On me rendit mes livres. « Après tout, grommela mon père, s'il en a besoin, qu'il les lise ! » Mais je ne les lus pas. Ils m'ennuyaient.

On entra dans le mois de juin. On passa de juin en juillet, et des fruits aux moissons, par des temps magnifiques. Matinées fraîches et nuits claires, léger soleil, beaux soirs. Et même en août, l'été chauffait, sans la brûler, la campagne où les sources vives ne tarirent pas un seul jour.

Et cependant je languissais. Un indéfinissable ennui alourdissait mon existence. Les journées me paraissaient longues. J'errais çà et là, désœuvré, autour de l'aire, dans le verger et sous les vieux platanes.

Parfois, lassé de la maison et de ses dépendances, j'allais m'asseoir dans le chemin, sur le bord du fossé. Et là, sans plaisir, j'attendais.

Sans plaisir et sans espérance. J'aurais voulu que quelqu'un vînt, n'importe qui : le facteur, une bête, un chien, peut-être l'âne...

Bargabot ne revenait plus à la maison. Qu'était-il devenu ? Personne n'en parlait jamais. Son absence passait inaperçue. Pourtant c'était surtout dans les mois de chaleur qu'il nous apportait du poisson, une fois par semaine. Maintenant plus de Bargabot, et on ne s'en inquiétait pas.

Moi, j'y pensais, et d'y penser m'empêchait souvent de dormir, me rendait triste.

Cette tristesse s'accrut en septembre. Le raisin ne m'égaya pas. On vendangea ferme pourtant et les grappes bouillaient dans les cuves énormes, comme jamais, à ma mémoire, elles n'avaient bouilli chez mes parents.

L'année semblait courir vers de hautes fortunes, car octobre fut sec et novembre à peine pluvieux. La rivière ne gronda pas, et ses eaux, restées raisonnables, n'envahirent pas notre terre, qui fut labourée, très paisiblement.

Vendanges,
le grain
et la feuille

Mais tous ces bonheurs qui frappaient l'esprit de ma famille n'allégeaient pas mon âme.

Et j'étais si mélancolique que, même les froids de Noël, ces froids si francs, si vifs, qui d'ordinaire vous ragaillardissent, ne me touchèrent pas. Je passai un hiver long, pénible, morose.

Souvent, je pensais à Gatzo. Où était-il ? Parfois, à la tombée du jour, très haut dans les nuages, les canards passaient, volant en triangle, à travers une bourrasque. Et leurs cris sauvages me pénétraient.

Mes parents, me voyant si taciturne, devenaient, eux aussi, très taciturnes. Ils avaient essayé de tout, et rien ne m'avait réussi. Ils en restaient pensifs.

Le printemps revint : les vents tièdes, le premier vol de la bouscarle, et le merle siffleur. Je soupirais. Et je ne savais pas très bien si c'était d'aise ou de tristesse.

— Il soupire, disait Tante Martine, mais c'est peut-être soupir de printemps. Moi aussi, je soupire. Et toute vieille que je suis, c'est encore soupir d'avril.

Pour mieux veiller sur moi elle avait obtenu qu'on installât ma chambre à côté de la sienne, en bas.

Quelquefois, si je remuais, derrière la cloi-

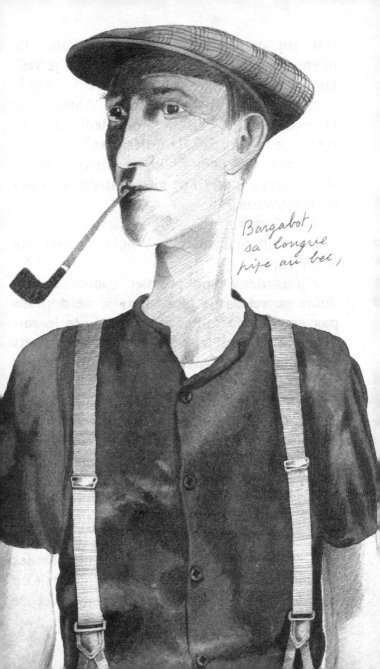

Bargabot,
sa longue
pipe au bec,

son, sur ma douce paillasse de maïs, elle m'appelait par mon nom, pour voir si je veillais, ou si j'étais agité par un rêve. Elle avait le sommeil subtil, incroyablement. Aussi, pour ne pas l'éveiller, car elle était vieille et laborieuse, je m'efforçais, la nuit, quand je ne dormais pas, de rester immobile dans mon lit. Alors, comme un fil de vie, j'entendais passer sa respiration.

Elle dormait.

Une nuit, je fis un rêve. Voici comment cela m'arriva.

J'étais dans mon premier sommeil. Sans doute ne veillais-je plus, mais je ne dormais pas encore, du moins réellement. Je le sais bien, car on avait laissé mes volets entrouverts et, par la fente, je voyais scintiller deux petites étoiles. Il me sembla que ces volets peu à peu s'ouvraient davantage et qu'à mesure un ciel plus vaste et un plus grand nombre d'étoiles envahissaient ma chambre. Cet envahissement devint bientôt si vaste que les murs de la chambre s'effacèrent et que j'eus le plein ciel autour de moi. Peu à peu se forma un paysage étrange, diamanté d'astres et cristallin. C'était le fond d'une rivière nocturne et lumineuse, mystérieusement éclairée en dessous par des feux invisibles. Leur pâle lumière inondait un monde mouvant et secret de plantes et de

Demoiselle sur un rameau de Myriophylle

bêtes aquatiques, et j'y voyais respirer lentement les racines des îles, dont les arbres énormes plongent, bien plus loin qu'on ne pense, sous le règne des eaux. Des monstres surgissaient aux écailles phosphorescentes, du fond de retraites cachées, et quelques-uns portaient un signal de feu vert et or, au sommet de leurs crânes épineux. Ils erraient, l'air féroce, avec aisance, à travers les algues géantes et les prés fleuris de myriophylles. Parfois, un courant entraînait des créatures inimaginables, corps laiteux, aux formes changeantes, d'où émanait une clarté diffuse qui disparaissait rapidement. On voyait se mouvoir avec lenteur, sur leurs cinq branches bleues, des étoiles vivantes, cependant que nageaient les conques transparentes de coquillages inconnus à travers des forêts de coraux fragiles...

Ce monde, que le songe dévoilait en moi,

inquiétait mon sommeil et, dans mon impuissance, j'aspirais à sortir de ces lieux irréels où partout m'épiaient des monstres attentifs et malveillants. Mon désir dut être bien fort (ou je reçus du ciel quelque secours) car peu à peu ces formes illusoires s'effacèrent de mon rêve et, à leur inhumaine et cruelle beauté, se substitua doucement une aube familière, un ciel matinal, et la vue du printemps sur la campagne où coulait paresseusement mon amie la rivière. Et là j'errais joyeux, dans des sites connus : l'île des roseaux, la falaise, le rivage où filtrait la source, le bois de chênes. Là, tout me ravissait, les oiseaux, les fleurs, la vie libre, et particulièrement une petite anse rocheuse où souvent (je m'en souvenais) au temps des eaux dormantes, je m'étais attardé, pour admirer la limpidité de ces eaux.

C'était un lieu privilégié. La nature des roches cristallines y avait composé des fonds purs où les ondes calmes se purifiaient.

Leur transparence était si délicate que la lumière y circulait aussi facilement que dans l'air, et les fonds riaient de soleil. On voyait sur le sable fauve de petits graviers de porphyre bleu et de marbre rose, striés. Sous le roc, entre les galets, quelquefois une bulle d'air venait éclore, indice d'une veine d'eau qui alimentait, en secret, la conque limpide.

C'était l'apport des pluies et des neiges tombées pendant l'hiver dans les collines. Sans doute donnait-il à ce peu de rivière, en ce lieu abrité, cette pureté insolite et l'odeur des eaux vives.

Aussi les bêtes aquatiques y hantaient familièrement, et je m'imaginais qu'elles y trouvaient un refuge, quelque chose comme un jardin liquide réservé à leurs jeux et à leurs loisirs. On ne pouvait s'y dévorer, du moins me semblait-il...

Sous une renoncule d'eau vivait une tribu de chevrettes translucides. Timide et active à la fois, elle disparaissait au moindre mouvement.

Quelquefois une truitelle tentée par la fraîcheur des eaux faisait halte dans la conque, et des ablettes argentées s'y attardaient, en promenade, toutes frétillantes de plaisir. Moins souvent l'épinoche mouchetée y montrait sa brillante armure. Si une tanche irisée d'or, égarée de ses lieux de chasse, pénétrait dans cette onde claire, elle furetait, indécise, et bientôt s'échappait pour des terrains plus riches, hors de ce petit monde minéral. Plus familière de ces eaux, une rainette, amie des fonds purs, s'enfonçait, les quatre pattes écartées, et tombait jusqu'au sable fin ; puis elle remontait, merveilleusement verte. Elle

la rainette verte

posait au ras de l'eau sa gorge délicate et ses yeux d'or, que semblait fasciner mon visage immobile, de bonheur s'immobilisaient...

Cette double immobilité, que je retrouvais dans mon rêve, le dissipa. Je m'endormis vraiment.

C'est plus tard que quelqu'un gratta à la fenêtre, et je m'éveillai.

Je n'eus pas peur, mais tout de suite mon cœur battit.

« C'est lui, me dis-je. Il est revenu. »

Je sautai de mon lit et courus à la fenêtre.

Je demandai :

— C'est toi, Gatzo ?

Une voix murmura mon nom, elle était un peu rauque, mais je la reconnus.

— J'ai beaucoup à te raconter, me dit Gatzo.

Dans sa chambre, Tante Martine soupira.

— Attends, dis-je à Gatzo. Il vaut mieux aller jusqu'au puits.

Je passai dehors.

On alla au puits. Il y faisait bon.

La lune se levait paisiblement au bout de la prairie tiède et odorante.

Alors Gatzo commença à parler.

Il me raconta toute son histoire.

Je l'écoutai, ému. Tout à coup il se tut.

— Et puis ? lui demandai-je.

Il me répondit simplement :

— Grand-Père Savinien est mort.

Je lui pris la main.

A ce moment Tante Martine ouvrit doucement ses volets. Nous vit-elle ?...

Elle m'appela :

— Pascalet, mon petit, avec qui parles-tu ?

Je me levai machinalement et entraînai Gatzo vers la maison.

— Tiens, s'écria Tante Martine, il y a quelqu'un avec toi ?

— C'est mon ami Gatzo, lui dis-je.

Elle respira bruyamment :

— Oh ! il sent le sauvage.

J'eus le courage d'ajouter :

— Il est seul au monde, Tante Martine.

Elle grommela quelque chose.

Puis elle dit :

— Il faut qu'il entre ; et demain on le brossera de la tête aux pieds.

Gatzo entra.

Tante Martine alluma sa chandelle.

— C'est, dit-elle, en voyant Gatzo, un solide garçon. Il a l'air franc. Nous en parlerons à ton père.

Ce qu'elle dit, nul ne le sait. Mon père s'attendrit. Dieu fit le reste.

C'est ainsi que Gatzo devint mon frère.

Quant à son histoire, peut-être, un jour, vous la raconterai-je...

FOLIO JUNIOR EDITION SPECIALE

Henri Bosco

L'enfant et la rivière

Supplément réalisé par
Christian Biet,
Jean-Paul Brighelli,
Jean Luc Rispail
et Marie-Noëlle Rispail

Illustrations de Bruno Mallart

SOMMAIRE

POURRIEZ-VOUS ÊTRE
LE COMPAGNON DE GATZO ?

POURRIEZ-VOUS ETRE LE COMPAGNON DE GATZO ?

Les équipées de Gatzo le long de la rivière nécessitent de sa part une solide connaissance de la campagne. Seriez-vous capable, vous aussi, de vous repérer à travers les champs et les bois ? Pour le savoir, essayez de répondre aux quelques questions qui suivent.

1. *Il vaut mieux pêcher :*
A. A l'aube
B. A midi
C. Au coucher du soleil

2. *Quel vent violent souffle en Provence ?*
A. La tramontane
B. Le sirocco
C. Le mistral

3. *Parmi ces trois champignons, un seul est vénéneux. Lequel ?*
A. Le pied-de-mouton
B. La trompette de la mort
C. L'amanite panthère

4. *La grenouille :*
A. Coasse
B. Cacarde
C. Croasse

5. *Lequel de ces trois poissons n'est pas un poisson de rivière ?*
A. Le brochet
B. Le merlan
C. La perche

6. *La faîne est le fruit :*
A. Du hêtre
B. De l'orme
C. Du frêne

7. *Comment s'appellent les jeunes poissons destinés à peupler les rivières ?*
A. Les aloses
B. Les alevins
C. Les alises

8. *La rainette est :*
A. Une pomme
B. Une grenouille
C. Une fleur des champs

9. *Prendre un animal au collet, c'est :*
A. Le prendre par la peau du cou
B. Le prendre par son collier
C. Le prendre dans un piège

10. *Lequel de ces trois arbres ou arbustes ne produit pas de fruits comestibles ?*
A. L'argousier
B. Le merisier
C. L'arbousier

Solutions page 184

1
AU FIL DU TEXTE

PREMIÈRE PARTIE (p. 9-55)

Neuf questions pour commencer

Répondez aux questions qui suivent en choisissant à chaque fois la proposition qui vous semble juste, puis rendez-vous à la page des solutions ; vous saurez alors si vous avez été un bon lecteur. Bien entendu vous devrez, pour répondre, vous fier à votre seule mémoire, sans vous reporter au texte.

1. *Qui est Tante Martine ?*
A. La grand-mère de Pascalet
B. La tante de son père
C. La sœur de sa mère

2. *Que font les eaux de la rivière en automne ?*
A. Elles se tarissent
B. Elles font craquer les digues
C. Elles montent

3. *Quel est le métier de Bargabot ?*
A. Paysan
B. Pêcheur
C. Braconnier

4. *Quel poisson Bargabot a-t-il donné à Pascalet ?*
A. Une alose
B. Un brochet
C. Une truite

5. *Qu'emporte Pascalet dans son sac, lors de sa deuxième escapade ?*
A. Des provisions
B. Du matériel de pêche
C. Un livre

6. *Quelle imprudence commet Pascalet, au bord de l'eau ?*
A. Il se met à l'eau sans savoir nager
B. Il essaie de remonter le courant à la rame
C. Il monte dans une vieille barque sans rames

7. *Quels bijoux porte la petite bohémienne ?*
A. Un collier de coquillages
B. Des bracelets d'argent
C. Des boucles d'oreilles

8. *Pourquoi Pascalet se rapproche-t-il du camp des bohémiens, vers le soir ?*
A. Pour leur demander de l'aide
B. Pour se rapprocher de leur feu
C. Pour les attaquer

9. *Combien de temps Pascalet et Gatzo restent-ils sur les eaux dormantes ?*
A. Dix jours
B. Un mois
C. Une semaine

Solutions page 184

La tentation

« C'est là qu'un beau matin d'avril la tentation vint me trouver à l'improviste », nous dit Pascalet. (p. 20)
Et vous, avez-vous déjà ressenti une tentation : manger quelque chose d'interdit, aller dans un endroit inconnu, acquérir un pouvoir magique, toucher un objet dangereux... ? Racontez votre expérience en un texte d'une quinzaine de lignes.

Pascalet

Dès le début du livre, on devine que Pascalet va être le personnage principal.
Quels détails vous l'indiquent ?
- Quelle remarque pouvez-vous faire sur la personne à laquelle est écrit le livre ?
- Comment l'expliquez-vous ?
Relevez toutes les expressions qui décrivent le caractère de Pascalet.
- Aimeriez-vous avoir Pascalet pour ami ? (Vous expliquerez pourquoi en une dizaine de lignes.)

Tante Martine

Tante Martine aime beaucoup Pascalet, mais elle fait semblant d'être méchante. Relevez tous les détails qui montrent ces deux aspects, apparemment contradictoires, de son caractère et répartissez-les en deux colonnes.
- Quelle est la colonne la plus fournie ?
- Qu'en concluez-vous sur son caractère ?

Le décor du roman
(p. 9-33)

1. L'histoire se passe en Provence. Seriez-vous capable de citer de mémoire tous les indices qui font allusion à cette région ?

2. Regardez bien les illustrations du premier chapitre et essayez de répondre aux questions suivantes (aidez-vous d'un dictionnaire si vous ne trouvez pas) :

1. Qu'est-ce que le Luberon ?
2. Quand pousse la lavande ? Que fait-on avec la lavande ?
3. Quelles sont les particularités des maisons provençales ?
4. Comment s'appellent ces tours rondes que l'on voit souvent dans la campagne provençale ?
5. A quoi servent les carreaux de céramique qui sont autour de la fenêtre de la tour ? (p. 22)
6. Comment sont les tuiles des maisons en Provence ?

Solutions page 185

Le mystère de la rivière
(p. 20-28)

La rivière et ses alentours ont quelque chose de magique aux yeux de Pascalet. Certaines phrases du texte le montrent clairement. Nous les avons relevées, mais nous avons également ajouté des phrases qui, elles, ne sont pas dans le livre. Sauriez-vous dire quelles sont les phrases qui figurent dans le livre et celles qui n'y sont pas ?

A. Ces appels me faisaient perdre la tête.
B. La magie de cet endroit m'engourdissait.
C. Une force invincible me poussait vers la rivière.
D. Plus j'allais et plus j'étais pris par la puissance du chemin.
E. Mon sommeil fut agité de cauchemars terribles.
F. Le courant me parut si terrible que je frissonnai.
G. Qui hantait cette anse cachée ?
H. Le cri de l'oiseau me parut un langage secret.
I. Une force mystérieuse me retenait dans cette solitude.

Solutions page 185

La première rencontre avec la rivière
(p. 20-28)

Lorsque Pascalet va vers la rivière la première fois, il ressent dans tout son corps la beauté de la nature et de la rivière.

Relevez pour chacun des cinq sens (odorat, vue, toucher, goût, ouïe) des mots ou des phrases décrivant ses impressions.

Par exemple : les « baies bleues » (p. 24) pour la vue.

- Quel est le sens de Pascalet le plus sollicité ?

La pêche aux mots
(p. 35-55)

Voici un résumé du deuxième chapitre, « L'île ». Malheureusement, Bargabot s'est amusé à pêcher des mots dans le texte ! Pourriez-vous le reconstituer ?

Pour vous aider, nous vous donnons ci-dessous la liste des mots dans le désordre.

Un ...... matin, je repris le chemin de la ...... Tenté par la tranquillité du moment, je montai dans la ...... et m'endormis. Quelle ne fut pas ma frayeur quand je me réveillai, emporté par le ...... ! Heureusement, la barque échoua sur l' ......, qui était habitée par une famille d' ...... bohémiens. Ils avaient ligoté un jeune garçon et l'avaient attaché à un arbre, après l'avoir ...... Malgré une petite fille à l'air sauvage, et un ...... qui la gardait, j'eus le courage de venir délivrer le jeune prisonnier, et nous pûmes nous ...... ensemble. C'est ainsi que naquit mon ...... avec Gatzo.

Les mots trouvés dans la musette de Bargabot : effrayants - enfuir - courant - fouetté - amitié - barque - beau - île - ours - rivière.

Solutions page 185

Les bohémiens

Les bohémiens sont dépeints comme des hommes méchants. Mais ils ne le sont peut-être pas tous. Il suffirait sans doute de les connaître mieux pour leur trouver des qualités. Et vous, que savez-vous d'eux ?

1. *Connaissez-vous des synonymes du mot « bohémien » ?*

2. *D'où vient le mot « bohémien » ?*

3. *Quelle langue parlent les bohémiens ?*

4. *Où habitent-ils ?*

5. *Quels sont leurs métiers de prédilection ?*

6. *De quels instruments de musique jouent-ils ?*

7. *Quelle est la ville de France où ils vont chaque année faire un grand pèlerinage ?*

8. *La sainte qu'ils vont y adorer a une particularité. Laquelle ?*

9. *Quel est le nom de la musique du sud de l'Espagne que jouent certains d'entre eux ?*

10. *Comment appellent-ils les gens qui ne sont pas bohémiens ?*

Solutions page 186

Le chant des gitans

Un grand poète espagnol, Federico García Lorca, était fasciné par les gitans. Ils représentaient à ses yeux ce qu'il y a de plus noble en l'homme.
Racontez l'histoire de ce poème en quelques lignes.
- Quels mots vous font penser à la mort ?
Soulignez tous les mots qui traduisent l'affection que García Lorca éprouve pour Juan Antonio de Montilla.

La rixe

Dans le milieu du ravin,
superbes de sang adverse,
luisent comme des poissons
les navajas d'Albacète.
Un jour cru de jeu de cartes
découpe sur l'aigre vert
des profils de cavaliers
dont les bêtes s'exaspèrent.
Au faîte d'un olivier
deux vieilles femmes se plaignent.
Le taureau de la querelle
se dresse sur les murettes.
Et des anges noirs apportent
des mouchoirs, de l'eau de neige,
des anges aux longues ailes
de navajas d'Albacète.
Juan Antonio de Montilla
dévale en mourant la pente
– le corps étoilé d'iris,
une grenade à la tempe –
et sur une croix de flamme
prend la route de la mort.
Le juge par l'olivette
arrive avec ses sergents.
Le sang répandu gémit
son chant muet de serpent.
Ici, messieurs les gendarmes,
c'est toujours pareil, voyez :
Il y a cinq Carthaginois
et quatre Romains tués.
Le soir ivre de figuiers
et de rumeurs surchauffées
tombe pâmé sur les cuisses
sanglantes des cavaliers,
tandis que des anges noirs,
des anges aux longues tresses,
planent dans l'air du couchant
avec leur cœur d'huile claire.

Federico Garcia Lorca,
Romancero Gitan,
traduction d'André Belamich,
© Gallimard

DEUXIÈME PARTIE (p. 57-109)

Dix questions pour continuer

Voici dix questions auxquelles vous devrez répondre sans vous reporter au livre. Rendez-vous ensuite à la page des solutions pour connaître vos résultats.

1. *Lors de sa première nuit dans la barque, Pascalet :*
A. N'a pas fermé l'œil de la nuit
B. A mal dormi
C. A bien dormi

2. *A son réveil, il entend un oiseau. Il pense que c'est :*
A. Une bouscarle
B. Une sarcelle
C. Une rousserolle

3. *Quand commence exactement l'amitié entre Pascalet et Gatzo ?*
A. Quand Pascalet délivre Gatzo
B. Quand ils se couchent dans la barque
C. Quand ils se réveillent au soleil

4. *Pourquoi les deux garçons s'inventent-ils des dangers imaginaires ?*
A. Pour s'amuser
B. Pour lutter contre le trop grand calme
C. Pour devenir plus courageux

5. *Quelle arme fabrique Gatzo ?*
A. Un lance-pierres
B. Un épieu
C. Un arc

6. *Où est caché Pascalet quand il guette l'âne ?*
A. Dans la barque
B. Dans les buissons
C. Sur la grève

7. *Où sont les parents de la petite fille ?*
A. Ils sont morts
B. Ils sont en voyage
C. Il vivent à l'étranger

8. *Quel est le nom de la petite fille ?*
A. Jacinthe
B. Caroline
C. Hyacinthe

9. *Quel est le nom de son âne ?*
A. Saturnin
B. Culotte
C. Savinien

10. *Quelle surprise attend Pascalet après sa promenade ?*
A. La barque est partie
B. Gatzo n'est plus là
C. La petite fille l'attend

Solutions page 186

L'histoire d'une amitié

1. Pascalet dit à propos de Gatzo : « Tout en moi contrastait avec cette nature. » (p. 63)
Relevez les mots ou les phrases qui caractérisent chacun d'eux et répartissez-les en deux colonnes.
- Duquel de ces deux personnages vous sentez-vous le plus proche ? Pourquoi ?

2. Les rapports entre Pascalet et Gatzo ne sont pas toujours parfaits. Retrouvez les éléments qui indiquent que tout va bien entre eux et ceux qui révèlent leurs désaccords.
- Qu'arrive-t-il à leur amitié ?

3. Vous est-il déjà arrivé une histoire semblable ? Racontez en une dizaine de lignes ce qui s'est passé.
- Comment est née votre amitié ?
- Qu'est-ce qui vous a éloignés ?
- Qu'est-ce qui vous a rapprochés ?

De l'étonnement au ravissement

Pascalet éprouve de multiples sensations pendant ces dix jours sur la rivière. En voici quelques-unes ; pourriez-vous trouver avec précision leurs contraires ?

bonheur	curiosité	admiration
peur	stupéfaction	insouciance
enchantement	remords	sang-froid
étonnement	inquiétude	ravissement

Un compagnon de voyage

Imaginez que vous partiez dix jours, tout seul dans votre barque, en emportant un livre et un seul.
- Lequel choisiriez-vous ?
- Pour quelles raisons ?
Posez la même question à chaque personne de votre entourage ; vous serez peut-être étonné des réponses. On ne connaît pas toujours bien les gens auprès de qui l'on vit...

Le mot mystérieux

Dans toutes les phrases suivantes tirées du livre, il
manque un mot, toujours le même. Sauriez-vous le
retrouver ?

Le bonheur descendait jusque dans l'......
Le silence facilite à ces ombres fugitives l'accès d'une ......
enchantée par leurs apparitions
Il était économe de son ......
Ça n'est pas un pays comme les autres. Il y a des ......
Tu sais ce que c'est une ......
L'...... se manifesta vers minuit

Vous n'avez pas encore trouvé ? Alors sachez que ce mot
est aussi employé dans de nombreuses expressions. A
l'aide de celles que nous vous proposons ci-dessous, vous
le découvrirez peut-être. Essayez ensuite d'expliquer la
signification de chacune d'elles et de donner une définition
de ce mot. Mettez-vous à plusieurs si vous n'y arrivez pas
tout seul.

Etre une bonne ......
Etre l'...... damnée de quelqu'un
Avoir une ...... sœur
Errer comme une ...... en peine
Jurer en son ...... et conscience
Soupirer à fendre l'......
Recommander son ...... à Dieu
Rendre l'......

Les plus beaux jours

A un moment précis du livre, l'auteur interrompt son his-
toire et nous parle de lui.
Sauriez-vous retrouver ce passage ou, mieux, vous en sou-
venir de mémoire ?
- Quel âge a l'auteur ?
- Quels sont, à ses yeux, les plus beaux jours de sa vie ?
- Qu'éprouve-t-il quand il y repense ?

TROISIÈME PARTIE (p. 111-156)

Dix questions pour conclure

Répondez aux questions suivantes en choisissant à chaque fois l'une des trois propositions. Bien entendu, vous ne devez pas vous reporter au livre ; fiez-vous à votre seule mémoire !

1. *Quelle excuse donne Tante Martine aux parents de Pascalet pour expliquer sa mauvaise mine ?*
A. Il a un rhume
B. Il grandit
C. Il lit trop

2. *D'après l'auteur, la sagesse populaire est :*
A. Trop simple
B. Un vrai trésor
C. Largement dépassée

3. *Pourquoi Grand-Père Savinien montre-t-il ses marionnettes pour la dernière fois ?*
A. Parce qu'il est trop vieux
B. Parce qu'il est malade
C. Parce qu'il va changer de métier

4. *Où s'était caché Gatzo pour regarder le spectacle ?*
A. Derrière un poteau
B. Dans un arbre
C. Parmi les spectateurs

5. *A qui Gatzo donne-t-il la main en allant du théâtre à la mairie ?*
A. A son grand-père
B. A Hyacinthe
C. Au maire

6. *Comment Bargabot accueille-t-il Pascalet à son réveil dans la barque ?*
A. Il le gronde
B. Il lui offre du café
C. Il le serre dans ses bras

7. *Sous quel arbre se passe le spectacle de marionnettes ?*
A. Un ormeau
B. Un platane
C. Un pin

8. *Où dort Pascalet à la fin du livre ?*
A. Dans la chambre de Tante Martine
B. Dans sa chambre habituelle
C. Dans une nouvelle chambre

9. *Pourquoi Gatzo vient-il chez Pascalet ?*
A. Parce qu'il est seul au monde
B. Parce qu'il veut lui offrir un cadeau
C. Parce qu'il a des remords de l'avoir quitté

10. *Où Pascalet emmène-t-il Gatzo lors de son retour ?*
A. Dans la cuisine
B. Près du puits
C. Dans le jardin

Solutions page 187

Objets inanimés,
avez-vous donc une âme ?
(p. 114-115)

Henri Bosco parle souvent des éléments de la nature
comme de véritables personnes ; on appelle ce procédé la
« personnification ». Vous en avez un bel exemple aux
pages 114-115, à partir de « Je franchis le bois sans
encombre ». Le sentier est un personnage que rencontre
Pascalet. Amusez-vous à réécrire ce passage (jusqu'à
« fourvoyer »), en remplaçant le mot « sentier » par un
autre élément de la nature (la nuit, le vent, la pluie, une
odeur, etc.). Vous serez ainsi amené à transformer le para-
graphe, et à changer les mots suivants : arriva - inondé de
lune - familier - prévenante douceur - beau sentier -
accompagnent - parler - confidences - innocence - sans
crainte - avec légèreté.

Correspondance

Imaginez que Pascalet n'ose pas rentrer chez lui. Il écrit à
Tante Martine pour lui expliquer et lui raconter son escapade. Essayez de rédiger la lettre qu'il pourrait écrire.

Ressemblances

Entre l'histoire des marionnettes et celle du livre, il y a
beaucoup de ressemblances, vous l'avez sans doute
remarqué. Relevez-les et répartissez-les en deux colonnes
distinctes. Vous obtiendrez ainsi deux histoires en miroir.
- Quel est, selon vous, l'intérêt de ce procédé ?

Un grand sage
(p. 128-130)

L'auteur nous dit que Grand-Père Savinien porte sur le
visage un « signe pur ». (p. 129)
Relevez tous les mots qui décrivent sa pureté, physique et
morale, et sa sagesse. Puis essayez de deviner, avec l'aide
d'adultes autour de vous, de quel mot s'est inspiré Henri
Bosco pour lui trouver ce prénom « Savinien ».

Les fausses maladies

Pascalet emploie une expression bien provençale, à la page 146, lorsqu'il dit : « je languissais ».
Relevez tous les détails qui décrivent la « maladie » de Pascalet.
- Est-ce une vraie maladie ?
- Quelle est la seule guérison possible ?
- Et vous, vous est-il déjà arrivé d'être malade sans être malade ? (Racontez l'histoire en une quinzaine de lignes.)
- Comment avez-vous « guéri » ?

A vous de raconter !

Amusez-vous à prendre la place de l'auteur : racontez ce qui n'est pas dit dans le livre. Imaginez, en une dizaine de lignes :
a) ce que Gatzo raconte à Pascalet. (« Il me raconta toute son histoire. » p. 155)

b) ce que Tante Martine dit au père de Pascalet. (« Ce qu'elle dit, nul ne le sait. » p. 156)

Une histoire presque trop belle

Avouons-le, cette histoire a parfois des allures de conte de fées ! Pouvez-vous relever les épisodes ou les détails qui sont éloignés de la réalité quotidienne ?

2
AVEZ-VOUS BIEN LU
« L'ENFANT ET LA RIVIÈRE » ?

Voici vingt questions qui portent sur l'ensemble du roman. Choisissez à chaque fois la réponse qui vous semble juste, en vous fiant à votre seule mémoire. Rendez-vous ensuite à la page des solutions pour connaître vos résultats.

1. *A quelle saison commence l'histoire ?*
A. Au printemps
B. En été
C. En hiver
D. En automne

2. *Quel est le nom de la grand-tante de Pascalet ?*
A. Martine
B. Sophie
C. Adeline
D. Justine

3. *Que fait Bargabot avant de manger le pain ?*
A. Il le coupe en tranches
B. Il trace une croix dessus
C. Il l'émiette sur la table
D. Il le rompt avec ses mains

4. *Qu'est-ce qui rapproche Pascalet et Gatzo, au bord de la rivière ?*
A. La pêche
B. Le silence
C. La gourmandise
D. Les discussions

5. *Comment la petite fille a-t-elle appris la fuite de Pascalet ?*
A. Par les journaux
B. Par la police
C. Par le garde champêtre
D. Par Bargabot

6. *La petite fille bohémienne est amie avec :*
A. Un corbeau
B. Une chouette
C. Un perroquet
D. Une corneille

7. *Quel est le nom de leur barque ?*
A. « La Mouette »
B. « La Pirouette »
C. « La Grandette »
D. « La Marouette »

8. *Quel monstre rôde autour des deux garçons ?*
A. Un chacal
B. Un serval
C. Un crotale
D. Un racal

9. *En quoi est faite la croix de la chapelle Notre-Dame-des-Eaux-Dormantes ?*
A. En bois
B. En fer
C. En roseaux
D. En bronze

10. *Quand Pascalet reste prisonnier dans l'île :*
A. C'est le petit matin
B. C'est le soir
C. C'est l'heure du déjeuner
D. C'est le milieu de la nuit

11. *Qui sont les « pantins » dont parle la fillette ?*
A. Un cirque
B. Des marionnettes
C. Une troupe de théâtre
D. Un orchestre de musiciens

12. *Pourquoi la petite fille est-elle venue dans l'île ?*
A. Pour se promener
B. Pour pêcher
C. Pour prier
D. Pour rechercher Gatzo et Pascalet

13. *Tante Martine appelle Pascalet : « Petoulet ! Vagant ! Courentille ! ». D'où viennent ces noms ?*
A. Du provençal
B. De l'argot
C. Du basque
D. Ce sont des mots inventés

14. *Dans la pièce de théâtre, quel fruit cueille le mendiant ?*
A. Une pêche
B. Une poire
C. Une orange
D. Une pomme

15. *Comment le mauvais garnement de la pièce entre-t-il chez le jardinier ?*
A. Par la cheminée
B. En cassant un carreau de la fenêtre
C. Par la porte grande ouverte
D. Par la lucarne du grenier

16. *Comment Bargabot appelle-t-il Pascalet, quand il le retrouve ?*
A. Garnement
B. Petit voyou
C. Mon mignon
D. Fiston

17. *Quand Bargabot dit « c'est nettoyé », que veut-il dire ?*
A. On a enlevé les mauvaises herbes de l'île
B. On a fait partir les bohémiens
C. On a enlevé les ordures de toute l'île
D. On a fait partir tous les animaux sauvages

18. *Quand Pascalet part à la recherche de Gatzo :*
A. Le soleil brille
B. C'est la pleine lune
C. C'est l'aube
D. Il pleut à verse

19. *« Je languissais », dit Pascalet, de retour à la maison. Pourquoi ?*
A. Il voudrait aller à l'école
B. Il voudrait habiter la ville
C. Il voudrait revoir Gatzo
D. Il aimerait nager dans la rivière

20. *A quelle saison finit le livre ?*
A. A l'automne
B. En été
C. En hiver
D. Au printemps

Solutions page 187

3
JEUX ET APPLICATIONS

Les mots et leur origine

Voici (dans la première colonne) des mots du texte que vous ne connaissez peut-être pas. Néanmoins, en les rapprochant d'autres mots de la même famille, vous pouvez essayer d'en trouver le sens. Mettez-vous à plusieurs, vous y arriverez plus facilement, avant de vérifier. Pour vous aider, vous trouverez, dans la seconde colonne, les racines de ces mots. Nous avons pris soin de les mélanger pour rendre le jeu plus intéressant.

1. infernale		A. vengeance
2. stellaire		B. vent
3. vindicative		C. plein
4. novice		D. noce
5. avilir		E. vil
6. plénitude		F. étoile
7. nuptial		G. croire
8. éventer		H. taire
9. crédule		I. enfer
10. taciturne		J. neuf

Solutions page 188

Rivières et fleuves

1. La rivière est omniprésente dans le récit d'Henri Bosco. Cependant, si l'on sait qu'elle coule dans le sud-est de la France, elle n'est jamais nommée. A votre avis, de quelle rivière (ou de quel fleuve) peut-il s'agir ? Notez tous les détails qui s'y rattachent puis, après les avoir vérifiés dans un dictionnaire, dessinez cette rivière et donnez-lui un nom. Ensuite, vous comparerez votre dessin et votre nom avec les découvertes de vos amis.

2. Connaissez-vous les fleuves du monde ?
Pour le savoir, répondez vite aux questions qui vous sont proposées ci-dessous.

1. *Le plus long fleuve du monde est :*
A. L'Amazone
B. Le Nil
C. Le Mississipi

2. *Le plus long fleuve d'Asie (U.R.S.S. comprise) est :*
D. L'Ob
E. Le Yang-Tsê Kiang
F. L'Ienisseï

3. *Le plus long fleuve d'Europe est :*
G. Le Danube
H. Le Rhin
I. La Loire

4. *L'un de ces fleuves a plus de 15 000 affluents et sous-affluents :*
J. Le Congo
K. L'Amour
L. Le Huarco

5. *L'un de ces fleuves prend sa source dans l'Himalaya :*
M. Le Dniepr
N. Le Gange
O. Le Mekong

6. *Bagdad est arrosé par :*
P. L'Euphrate
Q. L'Indus
R. Le Tigre

3. A présent, pourriez vous dire où se jettent les dix-huit fleuves cités ? Si vous ne trouvez pas, aidez-vous des réponses suivantes qui, malheureusement, sont en désordre !
1 : Golfe Persique - 2 : Ucayali (affluent de l'Amazone) - 3 : Atlantique - 4 : Océan Arctique - 5 : Mer Noire - 6 : Golfe Persique - 7 : Atlantique - 8 : Méditerranée - 9 : Océan Arctique - 10 : Golfe du Mexique - 11 : Golfe de Sakhaline - 12 : Golfe du Bengale - 13 : Atlantique - 14 : Mer de Chine - 15 : Mer d'Oman - 16 : Mer Noire - 17 : Mer du Nord - 18 : Mer de Chine

Solutions page 188

Mots croisés

Voici une grille dans laquelle vous devez placer dix mots pris dans le passage sur les bohémiens (p. 42-55). Pour vous aider, nous vous les donnons tous ci-dessous :
Ours - feu - vieille - chien - fillette - bohémien - prisonnier - camp - corde - marmite

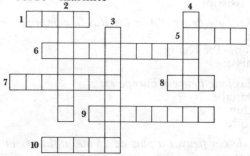

Solutions page 189

Auriez-vous réagi comme Pascalet ?

Imaginons que vous vous appeliez Pascalet et que vous soyez confronté aux mêmes situations que le héros de ce roman. Auriez-vous réagi comme lui ? Auriez-vous vécu les mêmes aventures que lui ? Vous le saurez en répondant spontanément aux questions suivantes. Comptez ensuite le nombre de □, △, ○, ☆ obtenus et rendez-vous à la page des solutions.

1. « *On peut voir l'âme, en se cachant... Cette nuit, elle reviendra probablement !* » *Gatzo vous propose d'aller vous cacher au pied de la falaise ; que lui répondez-vous ?*
A. « Ce que tu fais est défendu » □
B. « Je viens avec toi » ○
C. « Vas-y, je te surveille de loin » △
D. « Il faut laisser les âmes tranquilles, et la nuit est faite pour dormir » ☆

2. « *La barque était toujours là, mais Gatzo avait disparu !* » *Votre ami n'est plus là...*
A. Vous vous asseyez et vous pleurez □
B. Vous le cherchez partout, bien décidé à retrouver sa trace ○
C. Vous partez vers le village, pour voir d'autres gens » △
D. Vous vous dites que vous vous retrouverez bien un jour ☆

3. *« Seul, désœuvré, j'errais un peu dans la maison. »* A ce moment-là, qu'auriez-vous fait ?

A. Vous auriez profité de l'absence de Tante Martine pour ranger votre chambre □

B. Vous seriez parti vers la rivière, comme Pascalet ○

C. Vous auriez profité de ce temps libre pour écrire une lettre à vos parents absents △

D. Vous seriez allé rêver dans le jardin ☆

4. *« Une voix murmura mon nom, elle était un peu rauque, mais je la reconnus. »* Gatzo est revenu ! Comment l'accueillez-vous ?

A. Vous sautez de joie dans ses bras □

B. Vous lui dites : « Je ne veux plus te voir, toi qui m'as abandonné » ○

C. Vous lui donnez à manger △

D. Vous l'amenez loin de la maison, pour écouter son histoire ☆

5. *« A un poteau, par les pieds, par les bras, on avait attaché l'enfant. »* En assistant à cette scène, qu'auriez-vous fait ?

A. Vous le regardez avec pitié, en regrettant de ne rien pouvoir faire pour lui □

B. Vous sortez de votre cachette et vous essayez de défaire ses liens ○

C. Vous attendez la nuit, vous vous montrez à Gatzo, et vous suivez ses indications pour le délivrer △

D. Vous attendez le moment propice pour aller délivrer Gatzo... et vous vous endormez ☆

6. *« J'avais honte, mais qui a honte se tient coi, et je me tus ! »* Au retour de votre première escapade, et devant les reproches de Tante Martine, qu'auriez-vous fait ?

A. Vous auriez demandé pardon et promis que vous ne recommenceriez plus □

B. Vous auriez répondu insolemment : « Je fais ce que je veux » ○

C. Vous auriez fondu en larmes à l'idée du souci qu'avait dû se faire Tante Martine △

D. Vous n'auriez rien entendu des cris de Tante Martine, absorbé par les souvenirs d'une si belle journée ☆

7. *« Cette tranquillité, cette quiétude me tentèrent aussitôt ! »* Vous êtes au bord de l'eau, devant la barque. Quelle serait votre réaction ?

A. Vous tournez autour, mais vous n'osez monter dans la barque parce qu'elle n'est pas à vous □

B. Vous montez sans hésiter dans la barque, cherchez les rames, et essayez de détacher la corde ○

C. Vous vous asseyez, comme Pascalet, dans la barque, juste pour voir l'impression que ça fait △

D. Vous vous allongez sur la grève et vous rêvez que vous êtes un grand navigateur... ☆

Solutions page 189

4
EAU ET LITTÉRATURE
L'Année du miracle et de la tristesse

Leonide Borodine a fait du lac Baïkal (le plus profond du globe) l'un des principaux personnages de son roman. Le fils de l'instituteur, nouveau venu au village de Maritouï, a osé escalader le Rocher de la Mort et a découvert le secret du lac. Un secret qu'il doit taire sous peine d'être englouti par les eaux. Il assiste à la lutte du Baïkal contre l'emprise de la glace, une lutte qui ressemble à celle d'un animal contre la mort.

« Nous étions aux derniers jours de décembre. Quotidiennement, après l'école, je courais au Baïkal. Tout le monde disait qu'il serait bientôt pris par les glaces. C'était une nouvelle incroyable. Le lac était à présent d'une couleur uniforme, bleu-noir ; comment imaginer qu'il allait prendre la teinte blanche de la glace ?

Je n'y croyais pas, je ne voulais pas voir le Baïkal gelé. Il y avait là quelque chose de vexant pour le lac, quelque chose d'injuste. Mais je pressentais déjà que ce nouvel état était inéluctable ; les éclaboussures des vagues le laissaient prévoir. Celles-ci étaient aussi froides et piquantes que des éclats de glace, et l'écume blanche au sommet des vagues ressemblait aussi à des glaçons qui auraient chevauché des lames noires ; et surtout, les vents et le brouillard givrant semblaient lier le sort du lac qui se refroidissait, à celui de la terre endormie sous son glacial manteau blanc.

Sur une des plates-formes du rocher sur lequel, l'été dernier, Droug et moi passions souvent le temps, à quelque deux mètres au-dessus de l'eau, était planté un petit sapin. Un jour que j'arrivais à cet endroit, je poussai un cri de surprise. L'arbre tout entier était orné de perles et de guirlandes de cristal. C'était le frimas de décembre qui en avait disposé ainsi avec les éclaboussures des vagues. Tout le pied du rocher, sur quelques mètres de hauteur, était lui aussi gelé et étincelait comme un miroir jaune qui reflétait les vagues, le ciel, les sommets du rocher surplombant son pied.

La tempête soufflait sur le Baïkal. Le Baïkal travaillait. Et j'essayais de saisir le sens de cette activité. Etait-ce le lac qui se battait contre le froid ? Etait-ce qu'on décelait dans la course hâtive et maussade des lames une précipitation incompréhensible, comme si le Baïkal s'empressait d'achever une œuvre qu'il avait entamée et qu'il n'avait pas finie à temps ? Pour moi, tous les autres états du Baïkal étaient compréhensibles, mais l'aspect préoccupé et maussade de la masse bleu marine glacée devenait soudain particulièrement cher à mon cœur et suscitait une compassion enflammée.

Chaque matin, quand je sortais, mon premier soin était de jeter un regard sous le pont, à travers les arches duquel on voyait le Baïkal ; je notais avec joie qu'il n'avait pas encore capitulé, j'agitais la main comme pour lui promettre de revenir plus tard, afin de l'encourager et d'être simplement à ses côtés, parce que je savais combien il est dur de rester seul dans les minutes où il faut prendre des décisions importantes et accomplir une œuvre difficile.

Quand je quittais le rivage pour rentrer chez moi, je disais au lac :

– Allez, va, tiens bon ! L'essentiel est de tenir jusqu'à demain !

Plus tard, je devais me rendre compte que j'avais raison. C'était la nuit que le Baïkal se relâchait, se décidait à prendre un repos et qu'immédiatement le froid enchaînait ses eaux endormies. Le lac, en se réveillant le lendemain sous son raide manteau de glace, trouvait parfois la force de le déchirer en lambeaux et de jeter ceux-ci sur le rivage. Mais cette prouesse nécessitait beaucoup trop de forces, et la nuit suivante, ayant attendu l'heure propice, un froid plus rigoureux encore emmitouflait le Baïkal dans sa cuirasse de glace ; au matin, il ne desserrait pas son étreinte, mais au contraire, la transformait en un spasme de mort, et le Baïkal se soumettait. »

Leonide Borodine,
L'Année du miracle et de la tristesse,
traduction d'Andrée Robel,
© Gallimard

Youg

*Las de vivre parmi les siens, Youg a décidé de s'en aller seul
à bord de son frêle radeau. Le cours de la rivière l'entraîne
jusqu'au fleuve, puis l'amène sur un immense lac semé
d'îlots, au milieu des paysages vierges des temps préhistori-
ques, parcourus par des tribus farouches.*

« On a beau avoir vécu pendant des jours avec ou sur
la rivière, chaque nouvelle embarcation vous surprend.
Elle a son poids, sa taille, son tirant d'eau, ses caprices.
Youg était aspiré, emporté, il virevoltait au gré des tourbillons. Debout à l'arrière, il profitait des instants où les
remous ne le maltraitaient pas trop pour planter sa perche
et, d'un coup de reins, se propulser vers les meilleurs
points de passage. Il se laissa plusieurs fois entraîner jusqu'à la rive, mais finit par trouver son nouvel équilibre et
enchaîna courbe sur courbe avec aisance.

La rivière, quand le soleil perça la brume, était redeve-
nue son amie.

Mais les amis ont leurs humeurs et vous jouent parfois
des tours. Vers le milieu du deuxième jour, alors que le
soleil avait déjà parcouru plus de la moitié de sa course,
Youg trouva, au sortir d'un méandre, le Céné barré d'un
bord à l'autre par un énorme tremble que l'eau, à force de
fouir la rive, avait déraciné. Le tronc de l'arbre était à peu
près à hauteur d'homme au-dessus de la rivière, mais les
branches feuillues, prenant appui dans le lit du cours
d'eau, formaient un enchevêtrement impénétrable au
regard. Et le courant était rapide. Trop rapide : impossible d'éviter l'obstacle. Youg fut dessus avant d'avoir pu
manœuvrer.

Pour ne pas être arraché à son radeau, il se jeta à plat
ventre et s'arc-bouta des mains et des pieds. Il était là,
crispé. Sous lui, autour de lui, l'eau filait, bouillonnait.
Au-dessus de sa tête, les feuilles du tremble battaient au
vent, cliquetaient au bout de leur long pétiole. Lui, Youg,
au milieu de cette agitation, attendait sans bouger ce que
la rivière allait faire de lui. »

Louis Mirman,
Youg.
© Gallimard

Le Merveilleux Voyage de Nils Olgersson

*Pour avoir cherché à capturer un tomte, Nils a été lui-même
réduit à une taille minuscule. Il s'est alors envolé sur le dos
d'une oie sauvage pour un long périple jusqu'en Laponie. A
l'époque de la débâcle, Nils aperçoit du haut des airs Asa et
Mats, ses anciens compagnons de jeu.*

« C'était le matin de très bonne heure. Les deux petits
Smâlandais, Asa la gardeuse d'oies et le petit Mats, che-
minaient sur la route qui de Sudermanie mène en Nerke.
Cette route court le long de la rive sud du lac Hjelmar, et
les enfants regardaient la glace qui couvrait encore la plus
grande partie du lac. Le soleil du matin y répandait sa
claire lumière et la glace n'avait point l'aspect sombre et
traître qu'on lui voit souvent au printemps, mais luisait,
blanche et attirante. Aussi loin qu'on pouvait voir, elle
paraissait ferme et sèche. La pluie, qui était tombée abon-
damment la veille, s'était écoulée dans les fentes et les cre-
vasses ou avait été absorbée par la glace même. Les
enfants ne voyaient qu'une surface splendide.

Asa la gardeuse d'oies et le petit Mats étaient en route
vers le nord ; ils songeaient à tous les pas qu'ils s'épargne-
raient s'ils pouvaient traverser le grand lac au lieu d'en
faire le tour. Ils n'ignoraient pas qu'il est dangereux de se
fier à la glace du printemps, mais celle-ci paraissait parfaitement solide. On voyait qu'elle avait près de la rive
plusieurs pouces d'épaisseur. On y voyait aussi un chemin, et l'autre bord du lac semblait si proche qu'une heure
devait suffire pour l'atteindre.

— Essayons, proposa le petit Mats. Si seulement nous
faisons attention à ne pas nous jeter dans un trou, je crois
que ça ira très bien.

Ils s'engagèrent sur le lac. La glace n'était pas très glis-
sante, mais agréable aux pieds. Il y avait pourtant un peu
plus d'eau qu'ils n'avaient cru ; par endroits la glace était
poreuse, et laissait passer l'eau avec un glouglou.
C'étaient des endroits à éviter, mais rien n'était plus facile
en plein jour par ce beau soleil.

Les enfants avançaient vite, sans fatigue, en se félicitant
de leur bonne idée qui leur permettait d'éviter le grand
détour par les chemins détrempés.

Ils arrivèrent près de l'île de Vinöd. Une vieille femme

les aperçut de sa fenêtre. Elle sortit en hâte, leur fit des signes désespérés des deux bras, et leur cria quelque chose qu'ils n'entendirent pas. Ils comprirent pourtant qu'elle les avertissait de ne pas continuer leur promenade. Mais eux qui étaient sur la glace voyaient bien qu'il n'y avait pas de danger. Ç'aurait été stupide de quitter la glace lorsqu'on était en si bon chemin. »

Selma Lagerlöf,
Le Merveilleux Voyage de Nils Olgersson
à travers la Suède,
traduction de T. Hammar,
© Librairie académique Perrin

Nefertiti et le rêve d'Akhnaton

Thèbes, capitale des pharaons, est considérée par les Egyptiens comme le centre du monde. Mais une rumeur se répand : la folie se serait-elle emparée de l'esprit du pharaon ? Akhnaton a en effet conçu le projet insensé de bâtir une nouvelle capitale, et il est parti le long des rives du Nil à la recherche d'un site.

« Nous naviguons avec une lenteur extrême. Il semble que la brise se ligue avec tout ce qui cherche à nous retenir.

Le pilote commande aux rameurs de se mettre à l'œuvre. Leurs chants rythment le battement de l'eau.

J'avance, seule, vers la proue recourbée.

Rien ne se compare au mouvement des eaux.

Rien ne débute aussi obscurément, venu de l'intimité du sol, pour ouvrir, aussi largement, à la dimension des mers. Rien n'est aussi totalement assujetti aux sources, aussi sûrement entraîné vers l'inconnu.

Sur les bords du Nil, les rives avec leurs maisons de boue, leurs hommes, leurs arbres, leurs herbes, leurs bêtes, tremblent à l'intérieur de leurs propres reflets. Thèbes s'efface au loin. Quittera-t-elle jamais nos racines ?

Je me tourne vers Akhnaton qui m'a rejointe :

– Trouverons-nous l'autre cité ?

– Ce lieu existe, je le reconnaîtrai.

Il m'entoure de son bras :

– Nous le reconnaîtrons ensemble. »

Andrée Chedid,
Nefertiti et le rêve d'Akhnaton,
© Flammarion

La Sorgue

Poète des paysages arides du Midi, René Char tire son inspiration de la connaissance profonde qu'il a de la Provence. Il chante ici l'humble rivière qui traverse l'Isle-sur-la-Sorgue, son village natal.

Rivière trop tôt partie, d'une traite, sans compagnon,
Donne aux enfants de mon pays le visage de ta passion.

Rivière où l'éclair finit et où commence ma maison,
Qui roule aux marches d'oubli la rocaille de ma raison.

Rivière, en toi terre est frisson, soleil anxiété.
Que chaque pauvre dans sa nuit fasse son pain de ta moisson.

Rivière souvent punie, rivière à l'abandon.

Rivière des apprentis à la calleuse condition,
Il n'est vent qui ne fléchisse à la crête de tes sillons.

Rivière de l'âme vide, de la guenille et du soupçon,
Du vieux malheur qui se dévide, de l'ormeau, de la compassion.

Rivière des farfelus, des fiévreux, des équarisseurs,
Du soleil lâchant sa charrue pour s'acoquiner au menteur.

Rivière des meilleurs que soi, rivière des brouillards éclos,
De la lampe qui désaltère l'angoisse autour de son chapeau.

Rivière des égards au songe, rivière qui rouille le fer,
Où les étoiles ont cette ombre qu'elles refusent à la mer.

Rivière des pouvoirs transmis et du cri embouquant les eaux,
De l'ouragan qui mord la vigne et annonce le vin nouveau.

Rivière au cœur jamais détruit dans ce monde fou de prison,
Garde-nous violent et ami des abeilles de l'horizon.

René Char,
Fureur et Mystère,
© Gallimard

5
SOLUTIONS DES JEUX

Pourriez-vous être le compagnon de Gatzo ?
(p. 159)

1 : A et C - 2 : C - 3 : C - 4 : A - 5 : B - 6 : A - 7 : B - 8 : B - 9 : C - 10 : A

Si vous obtenez de 8 à 10 bonnes réponses : les bois et les rivières n'ont pas de secret pour vous ; vous aimez vous fondre dans un milieu naturel au sein duquel vous pourriez rivaliser avec Gatzo.

Si vous obtenez de 4 à 7 bonnes réponses : vous appréciez la campagne, vous êtes sensible aux charmes de la nature, cependant pour les goûter, vous n'avez pas besoin de savoir reconnaître les arbres ou traquer les animaux. Attention, car Gatzo n'aurait aucune peine à vous semer !

Si vous obtenez moins de 4 bonnes réponses : la campagne est un monde qui vous est étranger ; peut-être vous sentez-vous plus à l'aise dans la jungle de la ville, à moins que vous ne soyez un marin convaincu ?

Neuf questions pour commencer
(p. 160)

1 : B (p. 9) - 2 : C (p. 12) - 3 : C (p. 13) - 4 : A (p. 16) - 5 : A (p. 35) - 6 : C (p. 38) - 7 : C (p. 43) - 8 : B (p. 48) - 9 : A (p. 61)

Si vous obtenez entre 7 et 9 bonnes réponses : bravo ! Vous avez été attentif et votre mémoire est bonne ; vous n'aurez aucune difficulté à poursuivre la lecture du livre et vous saurez répondre aux questions qui vous seront posées.

Si vous obtenez entre 4 et 6 bonnes réponses : ce n'est pas mal, mais vous avez laissé échapper certains détails ; peut-être devriez-vous relire les pages auxquelles vous avez accordé le moins d'attention ?

Si vous obtenez moins de 4 bonnes réponses : votre lecture a été très superficielle ; il serait souhaitable que vous relisiez les passages qui vous ont échappé, sinon, vous risquez de ne pouvoir répondre aux questions à venir.

Le décor du roman
(p. 162)

1. Le Luberon est un petit massif montagneux des Alpes françaises, situé entre les vallées du Coulon et de la Durance, à l'est du Rhône.

2. La lavande pousse une première fois en juillet, et une deuxième fois en septembre ; on appelle cela le regain. La lavande entre dans la composition de parfums et de médicaments.

3. Les maisons provençales sont faites en grosses pierres sèches et irrégulières, sans crépi pour les recouvrir. Elles sont composées de plusieurs bâtiments, de taille et de niveau différents, avec des toits peu pentus (il y a peu de pluie), joints en une seule masse, adossée si possible à une colline. Leurs fenêtres et leurs portes sont petites, pour se protéger du soleil. La porte est souvent ombragée par une treille, et séparée du sol par quelques marches. Elles sont parfois construites près d'un vieil arbre, et sur le site d'une source ; ce qui explique, dans la cour, la présence d'un puits. Enfin, les fermes sont isolées dans la campagne, et non pas réunies en hameaux ; c'est ce qu'on appelle un « habitat isolé ».

4. On appelle ces tours des pigeonniers.

5. Les carreaux servaient à empêcher les rongeurs (rats et autres) d'entrer dans les pigeonniers, qui servaient aussi de greniers à blé. Ils grimpaient le long des murs, grâce aux aspérités des pierres sèches, mais leurs pattes glissaient sur la surface lisse des carreaux, et... ils tombaient.

6. Les tuiles des maisons sont rondes, on les appelle des tuiles romaines.

Le mystère de la rivière
(p. 162)

Les phrases du livre : A (p. 24) - D (p. 24) - F (p. 25) - G (p. 26) - I (p. 26)

La pêche aux mots
(p. 163)

Les mots à replacer dans le texte sont, dans l'ordre : beau - rivière - barque - courant - île - effrayants - fouetté - ours - enfuir - amitié

Les bohémiens
(p. 164)

1. On appelle les bohémiens de plusieurs façons : gitans, romanichels, boumians (en Provence), tziganes, zingaros, manouches, gens du voyage...

2. Le mot « bohémien » vient de Bohême, région montagneuse de Tchécoslovaquie, d'où, croyait-on, certaines tribus vagabondes étaient originaires.

3. Ils parlent le romani, avec plusieurs dialectes, mélanges des langues empruntées aux pays qu'a traversés leur peuple au cours des siècles.

4. Ils habitent, plusieurs mois par an ou toute l'année, dans des roulottes traditionnelles ou dans des caravanes très modernes s'ils sont riches.

5. Ils gagnent leur vie en jouant de la musique ou en faisant de petits métiers artisanaux : rémouleurs, rempailleurs de chaises, chaudronniers, forains, fabricants de peignes...

6. Ils sont doués pour la musique et jouent principalement de la guitare et du violon, accompagnés de tambourins.

7. Ils se retrouvent chaque année, aux mois de mai et d'octobre, aux Saintes-Maries-de-la-Mer, en Camargue.

8. Leur sainte est Sara, et elle est noire. Ils adorent aussi Marie-Jacobé, sœur de la Sainte-Vierge, et Marie-Salomé (qui ont donné leur nom aux Saintes-Maries-de-la-Mer).

9. La musique est le flamenco, venu d'Andalousie.

10. Ils appellent les non-bohémiens des « gadgés ».

Dix questions pour continuer
(p. 166)

1 : C (p. 58) - 2 : A (p. 58) - 3 : C (p. 61) - 4 : B (p. 87) - 5 : C (p. 88) - 6 : A (p. 99) - 7 : A (p. 103) - 8 : C (p. 106) - 9 : B (p. 106) - 10 : B (p. 109)

Si vous obtenez de 8 à 10 bonnes réponses : c'est très bien, vous avez fait preuve d'attention, de mémoire et d'intelligence. Poursuivez votre lecture de cette manière et vous tirerez le meilleur profit du livre.

Si vous obtenez de 5 à 7 bonnes réponses : ce n'est pas mal, mais il serait peut-être bon de combler certaines de vos lacunes en relisant les pages correspondant aux questions auxquelles vous n'avez pas su répondre.

Si vous obtenez moins de 5 bonnes réponses : vous vous êtes contenté de lire le texte en diagonale et c'est dommage. Une relecture s'impose si vous voulez jouer aux jeux qui vous seront proposés dans les pages suivantes.

Dix questions pour conclure
(p. 169)

1 : C (p. 145) - 2 : B (p. 126) - 3 : A (p. 128) - 4 : B (p. 129) - 5 : C (p. 132) - 6 : B (p. 137) - 7 : A (p. 119) - 8 : C (p. 148) - 9 : A (p. 155) - 10 : B (p. 155)

Si vous obtenez de 8 à 10 bonnes réponses : c'est très bien, vous avez lu le texte avec beaucoup d'attention et votre mémoire a été fidèle. Vous n'aurez aucune difficulté à répondre aux questions qui vous seront posées dans les pages suivantes.

Si vous obtenez de 5 à 7 bonnes réponses : vous avez retenu l'essentiel mais certains détails vous ont échappé ; pourquoi ne pas relire les pages correspondant aux questions auxquelles vous n'avez pas su répondre ?

Si vous obtenez moins de 5 bonnes réponses : votre lecture a été superficielle ; vous auriez tout intérêt à relire les pages que vous avez négligées avant d'essayer de répondre aux questions qui vous seront posées dans les pages suivantes.

Avez-vous bien lu « L'Enfant et la rivière » ?
(p. 172)

1 : A (p. 20) - 2 : A (p. 9) - 3 : B (p. 30) - 4 : B (p. 63) - 5 : C (p. 101) - 6 : D (p. 43) - 7 : D (p. 65) - 8 : D (p. 90) - 9 : C (p. 97) - 10 : B (p. 42) - 11 : C (p. 102) - 12 : C (p. 103) - 13 : A - 14 : A (p. 122) - 15 : C (p. 125) - 16 : D (p. 137) - 17 : B (p. 140) - 18 : B (p. 113) - 19 : C (p. 146) - 20 : D (p. 148)

Si vous obtenez entre 16 et 20 bonnes réponses : bravo ! Vous avez prêté au texte une attention digne de tous les éloges et votre mémoire est fidèle. Votre bonne connaissance du livre vous avantagera pour jouer aux jeux qui vous seront proposés dans les pages suivantes.

Si vous obtenez entre 11 et 15 bonnes réponses : ce n'est pas mal. Vous avez retenu l'essentiel. Peut-être ne serait-il pas inutile, cependant, de relire quelques pages du livre pour vous rafraîchir la mémoire. Notez les questions auxquelles vous avez fourni une mauvaise réponse et relisez les pages correspondantes.

Si vous obtenez entre 6 et 10 bonnes réponses : votre lecture n'a pas été aussi attentive qu'elle aurait pu l'être. Reprenez le livre et n'hésitez pas à relire les pages dont le contenu vous a quelque peu échappé ; cet exercice vous aidera pour continuer à répondre aux questions et à jouer aux jeux qui vous seront proposés dans les pages suivantes.

Si vous obtenez moins de 6 bonnes réponses : vous avez eu tendance à lire le livre en diagonale. C'est dommage et il serait souhaitable que vous relisiez les passages que vous avez négligés. Mais après tout, peut-être ce livre ne vous passionne-t-il pas ? Essayez dans ce cas d'en trouver un autre plus conforme à vos goûts.

Les mots et leur origine
(p. 174)

1 : I - 2 : F - 3 : A - 4 : J - 5 : E - 6 : C - 7 : D - 8 : B - 9 : G - 10 : H

Rivières et fleuves
(p. 174)

2. 1. B (6 670 km) - 2 : F (5 940 km) - 3 : G (2 857 km) - 4 : I (le Huarco prend sa source au Pérou) - 5 : N - 6 : R -

3. A : 3 - B : 8 - C : 10 - D : 4 - E : 14 - F : 9 - G : 5 - H : 17 - I : 7 - J : 13 - K : 11 - L : 2 - M : 16 - N : 12 - O : 18 - P : 1 - Q : 15 - R : 6

Mots croisés
(p. 176)

1 : camp - 2 : marmite - 3 : bohémien - 4 : corde - 5 : ours - 6 : prisonnier - 7 : vieille - 8 : feu - 9 : fillette - 10 : chien

Auriez-vous réagi comme Pascalet ?
(p. 176)

Si vous avez une majorité de □ : vous êtes une personne sensible. Vous vous laissez facilement impressionner. Votre caractère à l'avantage d'être doux et agréable, mais vous vous souciez trop du qu'en-dira-t-on, et vous avez parfois peur d'agir à votre guise. Il est normal de se soucier de l'avis des autres, mais vous devez aussi savoir respecter vos désirs et ne pas vous laisser dicter votre conduite.

Si vous avez une majorité de ○ : vous avez de l'esprit de décision, et ce qu'on appelle couramment du caractère. Vous savez ce que vous voulez, et vous ne manquez pas de courage. Attention à ne pas vous laisser aller parfois à trop d'impulsivité, qui pourrait blesser votre entourage, ou à des imprudences. Il est bien de savoir prendre des initiatives, mais il ne faut pas le faire à la légère. Mais, quoi qu'il en soit, bravo pour votre spontanéité !

Si vous avez une majorité de △ : vous avez les pieds sur terre, et on vous dit raisonnable. Vous allez droit à l'essentiel, sans rêver à l'impossible. Avec calme et bon sens, vous savez vous tirer de situations embarrassantes. En revanche , vous ne brillez peut-être pas par la fantaisie ? Se promener, sans projet, le nez au vent, n'est pourtant pas si désagréable.

Si vous avez une majorité de ☆ : vous êtes toujours prêt à inventer de nouveaux jeux, ou de nouveaux déguisements. Vous êtes souvent dans les nuages, et le moindre rayon de soleil vous fait rêver. Vous fabriquez, grâce à votre imagination, des cadeaux originaux pour tout le monde, avec trois fois rien. Dans votre monde à vous, vous vivez de grandes émotions, mais revenez parfois sur terre !